D1591174

LE CHOC
de la réalité

Infographie : Chantal Landry
Correction : Brigitte Lépine et Céline Vangheluwe

DISTRIBUTEURS EXCLUSIFS :

Pour le Canada et les États-Unis :
MESSAGERIES ADP*
2315, rue de la Province
Longueuil, Québec J4G 1G4
Téléphone : 450-640-1237
Télécopieur : 450-674-6237
Internet : www.messageries-adp.com
* filiale du Groupe Sogides inc.,
  filiale de Québecor Média inc.

Catalogage avant publication de Bibliothèque et Archives
nationales du Québec et Bibliothèque et Archives Canada

Harris, Russ, 1962-

[Reality slap. Français]

Le choc de la réalité : surmonter les épreuves grâce à la
thérapie ACT

Traduction de : The reality slap.

ISBN 978-2-7619-3219-6

1. Thérapie d'acceptation et d'engagement. 2.
Autodéveloppement. I. Titre. II. Titre : Reality slap.
Français.

BF632.H3714 2013   158   C2013-941049-X

Pour la France et les autres pays :
INTERFORUM editis
Immeuble Paryseine, 3, allée de la Seine
94854 Ivry CEDEX
Téléphone : 33 (0) 1 49 59 11 56/91
Télécopieur : 33 (0) 1 49 59 11 33
Service commandes France Métropolitaine
Téléphone : 33 (0) 2 38 32 71 00
Télécopieur : 33 (0) 2 38 32 71 28
Internet : www.interforum.fr
Service commandes Export – DOM-TOM
Télécopieur : 33 (0) 2 38 32 78 86
Internet : www.interforum.fr
Courriel : cdes-export@interforum.fr

Pour la Suisse :
INTERFORUM editis SUISSE
Case postale 69 – CH 1701 Fribourg – Suisse
Téléphone : 41 (0) 26 460 80 60
Télécopieur : 41 (0) 26 460 80 68
Internet : www.interforumsuisse.ch
Courriel : office@interforumsuisse.ch
Distributeur : OLF S.A.
ZI. 3, Corminboeuf
Case postale 1061 – CH 1701 Fribourg – Suisse
Commandes :
Téléphone : 41 (0) 26 467 53 33
Télécopieur : 41 (0) 26 467 54 66
Internet : www.olf.ch
Courriel : information@olf.ch

Pour la Belgique et le Luxembourg :
INTERFORUM BENELUX S.A.
Fond Jean-Pâques, 6
B-1348 Louvain-La-Neuve
Téléphone : 32 (0) 10 42 03 20
Télécopieur : 32 (0) 10 41 20 24
Internet : www.interforum.be
Courriel : info@interforum.be

09-13

L'ouvrage original a été publié
par Exisle Publishing Limited.
sous le titre *The Reality Slap: How to find Fulfilment
when Life Hurts*

Dépôt légal : 2013
Bibliothèque et Archives nationales du Québec

ISBN 978-2-7619-3219-6

Gouvernement du Québec – Programme de crédit
d'impôt pour l'édition de livres – Gestion SODEC –
www.sodec.gouv.qc.ca

L'Éditeur bénéficie du soutien de la Société de
développement des entreprises culturelles du
Québec pour son programme d'édition.

 Conseil des Arts   Canada Council
du Canada   for the Arts

Nous remercions le Conseil des Arts du Canada de
l'aide accordée à notre programme de publication.

Nous remercions le gouvernement du Canada de
son soutien financier pour nos activités de traduction dans le cadre du Programme national de traduction pour l'édition du livre.

Nous reconnaissons l'aide financière du gouvernement du Canada par l'entremise du Fonds du livre
du Canada pour nos activités d'édition.

Dr Russ Harris

Auteur du best-seller *Le piège du bonheur*

LE CHOC
de la réalité

Surmonter les épreuves grâce à la thérapie ACT

Traduit de l'anglais (Australie) par Jean-Loup Lansac

LES ÉDITIONS DE
L'HOMME

Une société de Québecor Média

À mon adorable fils. Au moment où j'écris ces lignes, tu n'as que cinq ans et, pourtant, tu es de loin celui de qui j'ai le plus appris. Merci de m'avoir enseigné tant de choses sur la vie et l'amour. Merci de m'avoir aidé à grandir, et merci d'avoir apporté tant de joie et d'amour dans ma vie. Je t'aime plus que ne pourraient le dire tous les mots du monde.

INTRODUCTION
Le choc et le fossé

À quand remonte la dernière fois où la réalité vous a frappé en plein visage ? Nous avons tous dû faire face au choc de la réalité à de nombreuses reprises au cours de notre vie. En fait, nous le vivons chaque fois qu'elle nous assène un coup douloureux. Ces épreuves nous ébranlent, nous blessent et peuvent même nous faire perdre l'équilibre. Si nous luttons corps et âme pour garder les pieds sur terre, il nous arrive parfois de chuter malgré tout.

Le choc de la réalité peut prendre plusieurs formes différentes. Certains événements donnent un choc si violent que nous avons l'impression de recevoir un véritable coup de poing au visage : la perte d'un être aimé, une grave maladie, une blessure, un accident, un crime violent, un enfant handicapé, une faillite, une trahison, un incendie, une inondation ou un désastre naturel. Dans d'autres circonstances, l'impact du choc est moins brutal. Il peut prendre la forme d'une pointe de jalousie qui monte en nous quand nous apprenons qu'une autre personne a obtenu ce que nous désirions ; de pincements au cœur que nous ressentons lorsque nous nous apercevons à quel point nous sommes déconnectés des autres et isolés ; d'un accès de colère ou de ressentiment provoqué par un mauvais traitement ; du petit coup que nous recevons en apercevant notre reflet dans un miroir et en constatant que nous n'aimons pas l'image qu'il nous renvoie, ou encore de tous les malaises douloureux qui peuvent être causés par l'échec, la déception ou le rejet.

Parfois, le choc disparaît comme il est venu ; il n'est plus alors qu'un souvenir : ce n'est qu'un instant qui passe, un rappel à la réalité brutal et fugace. D'autres fois, il nous fait perdre tous nos sens et nous laisse confus pendant des jours, voire des semaines. Peu importe la forme qu'il prend, une chose est sûre : le choc de la réalité fait mal. Nous ne l'attendons pas, nous ne l'aimons pas et nous préférerions sans aucun doute ne pas le subir. Malheureusement, ce choc n'est que le début d'un processus. Ce qui vient par la suite est beaucoup plus difficile. En effet, après nous avoir brutalement réveillés, le choc nous force à faire face au *fossé*.

Je parle souvent du *fossé de la réalité* parce que, d'un côté de ce fossé, il y a la réalité que nous connaissons et, de l'autre, celle que nous désirons. Plus le fossé est grand entre ces deux réalités, plus les sentiments qui en résultent sont douloureux : envie, jalousie, peur, déception, confusion, chagrin, tristesse, colère, anxiété, indignation, terreur, culpabilité, ressentiment, voire haine, désespoir ou dégoût. Si le choc de la réalité s'estompe en général assez rapidement, le fossé, lui, peut persister pendant des jours, des semaines, des mois, des années et même des décennies.

La plupart d'entre nous sommes mal outillés pour affronter de grands fossés de la réalité. Notre société ne nous enseigne pas comment le faire ou, plutôt, elle ne nous enseigne pas comment le faire de façon efficace, de sorte que nous puissions grandir et trouver un épanouissement durable. Notre premier réflexe, lorsque nous nous retrouvons devant un tel fossé, c'est d'essayer de le refermer ; nous faisons tout notre possible pour modifier la réalité afin de la rendre plus conforme à nos désirs. Quand nous y parvenons, le fossé se referme et nous nous sentons bien. Nous sommes contents, satisfaits ou calmes, et nous éprouvons un sentiment de succès ou de soulagement. Tout cela est très bien. Après tout, si nous *pouvons* faire quelque chose pour obtenir ce que nous voulons dans la vie (dans la mesure où il ne s'agit pas d'un acte criminel, de quelque chose qui va à l'encontre de nos valeurs fondamentales ou d'un geste qui finira par nous causer des problèmes encore plus importants), il est tout à fait logique d'aller de l'avant et d'agir.

Mais que se passe-t-il quand nous ne *pouvons pas* obtenir ce que nous voulons ? Que pouvons-nous faire lorsque nous ne parvenons *pas* à fermer ce fossé de la réalité, lorsque, par exemple, un être aimé meurt, que notre partenaire nous quitte, que nos enfants déménagent à l'étranger ou que nous apprenons que nous ne pourrons jamais avoir d'enfant ou encore qu'un de nos enfants est atteint d'une maladie grave, que quelqu'un avec qui nous aurions souhaité nous lier d'amitié ne nous aime pas, que nous perdons la vue, que nous recevons un terrible diagnostic nous avisant que nous souffrons d'une maladie chronique ou incurable ou que nous nous rendons compte que nous ne sommes pas aussi intelligents, talentueux ou beaux que nous l'aurions voulu ? Que faire, par ailleurs, quand nous *pouvons* refermer le fossé de la réalité, mais que nous savons que cela prendra beaucoup, beaucoup de temps ; comment sommes-nous censés faire face aux événements, entre-temps ?

J'ai déjà lu un article dont l'auteur affirmait que tous les livres de croissance personnelle pouvaient être classés en deux catégories : ceux qui vous disent que vous pouvez avoir tout ce dont vous rêvez dans la vie, si vous vous mettez dans la tête de l'obtenir, et ceux qui vous disent que vous *ne pouvez pas* avoir tout ce que vous voulez, mais que cela ne vous empêche pas de mener une vie pleine et enrichissante. Ce livre est assurément à ranger dans cette dernière catégorie.

Pour être honnête, je suis toujours surpris de voir que les gens achètent des livres de la première catégorie. Si vous regardez d'un peu plus près la vie de n'importe quel être humain, qu'il s'agisse de Bill Gates, de Brad Pitt, de Bouddha, de Jésus, de personnes riches, célèbres et influentes ou encore de jeunes athlètes beaux, forts et vigoureux, vous constaterez que personne n'obtient jamais tout ce qu'il désire. C'est tout bonnement impossible. Durant le temps que nous passons sur cette planète, nous allons tous connaître des déceptions, des frustrations, des échecs, des deuils, du rejet, des maladies et des blessures, sans parler de la vieillesse et de la mort.

Quand le fossé de la réalité est petit ou que nous avons l'impression que nous pouvons le refermer relativement vite, la plupart d'entre nous parvenons à y faire face assez facilement.

Cependant, plus ce fossé s'élargit et reste ouvert longtemps, plus nous risquons d'éprouver des difficultés. C'est pourquoi l'*épanouissement intérieur* est si important. L'épanouissement intérieur est un sentiment profond de quiétude, de bien-être et de vitalité que vous pouvez ressentir même lorsque vous faites face à un fossé considérable, même lorsque vos rêves ne se réalisent pas, que vous n'atteignez pas vos objectifs ou que votre vie vous semble dure, cruelle et injuste.

Il s'agit donc d'un sentiment bien différent de l'*épanouissement extérieur*, qui repose plutôt sur les sensations agréables que nous ressentons quand nous parvenons à faire correspondre la réalité à nos désirs, c'est-à-dire quand nous refermons le fossé de la réalité, que nous atteignons nos objectifs ou que nous obtenons ce que nous voulons vraiment dans la vie. L'épanouissement extérieur est important : nous aimons tous atteindre nos objectifs et voir nos désirs satisfaits. Toutefois, cet épanouissement n'est pas toujours possible. (Si vous croyez qu'il est *toujours* possible, vous lisez certainement le mauvais livre. Vous devriez consulter l'un de ces bouquins qui affirment que vous pouvez obtenir mer et monde en demandant simplement à l'univers de vous donner ce que vous souhaitez et en croyant fermement qu'il répondra à vos souhaits.)

Dans ce livre, donc, comme vous l'avez probablement compris, nous mettrons davantage l'accent sur l'épanouissement intérieur : ce sentiment intense de bien-être et de paix que nous cultivons en nous, plutôt que de le chercher à l'extérieur de nous. La bonne nouvelle, c'est que les ressources qui nous permettent d'atteindre l'épanouissement intérieur sont toujours à notre portée ; elles sont comme un puits sans fond que nous portons en nous et dans lequel nous pouvons puiser chaque fois que nous en avons besoin.

Il ne faudrait cependant pas croire que nous devons abandonner tous nos plaisirs terrestres, nos désirs, nos visées, nos besoins et nos objectifs simplement parce que nous nous concentrons sur autre chose. Nous chercherons certainement à refermer le fossé de la réalité, si c'est possible et quand cela le sera. Cela signifie que nous ne dépendons plus de choses qui sont extérieures à nous pour nous sentir bien. Ainsi, même au milieu d'un grand tourment, même si nous avons peur ou que nous nous sentons perdus ou seuls, nous pouvons trouver un sentiment de paix et de réconfort à l'intérieur de nous-mêmes.

LES VINGT-DEUX AVEUGLES

Vous connaissez probablement l'histoire des trois aveugles et de l'éléphant. Pour vous rafraîchir la mémoire, je vais vous la raconter. Trois aveugles allèrent voir le directeur d'un cirque et lui dirent : « Nous voudrions savoir à quoi ressemble un éléphant. Pourriez-vous nous laisser en toucher un ? » Le directeur du cirque accepta cette demande et leur permit de toucher son éléphant favori qui, fort heureusement, était très amical et accommodant. Le premier aveugle s'approcha alors de l'animal et lui prit la trompe. « Eh bien, dit-il, un éléphant, c'est fait exactement comme un python. » Pendant ce temps, le deuxième aveugle tâtait l'une des pattes de l'éléphant. « Mais non, protesta-t-il, l'éléphant ressemble plutôt à un tronc d'arbre. » Au même moment, le troisième aveugle posa ses mains sur la queue de l'éléphant et déclara : « Je ne sais pas de quoi vous parlez, tous les deux. L'éléphant ressemble à un bout de corde. »

En fait, les observations des trois hommes étaient parfaitement exactes, mais chacun d'entre eux ne détenait qu'une pièce du puzzle. Ce livre suit un peu le même modèle. C'est pourquoi je l'ai comparé à *vingt-deux* aveugles qui exploreraient un éléphant à tâtons. Chaque chapitre vous mettra en contact avec un aspect de l'éléphant : il s'agira parfois d'une partie importante de l'animal, comme sa trompe, et parfois d'un élément plus petit, comme une paupière. À un moment donné, vers la fin du livre, l'éléphant sera révélé dans toute sa splendeur. (J'ai même déjà pensé appeler cet ouvrage *L'éléphant qui sommeille en nous*, mais ce titre n'évoquait pas exactement ce qu'il fallait.)

L'éléphant dont il est question ici s'appelle la *thérapie d'ACceptation et d'engagemenT*, ou ACT (que l'on prononce comme le mot « acte », et non pas A-C-T). La thérapie ACT est une approche créée par le psychologue américain Steven C. Hayes. Elle est fondée sur le concept de la pleine conscience et sur celui des valeurs. Si vous ne connaissez pas ces concepts et la façon dont ils peuvent nous aider à nous épanouir en faisant face aux défis de la vie, ce livre vous en offrira une introduction complète, tout en douceur. Si vous les connaissez déjà, il vous aidera à les voir sous un nouvel angle, en plus de vous rappeler des notions que vous avez peut-être oubliées et de vous permettre d'en revisiter plusieurs autres. Vous pourrez également découvrir des choses qui auraient pu vous échapper auparavant.

Les chapitres de ce livre sont conçus pour vous aider à ouvrir non seulement votre esprit, mais aussi votre cœur. Dans certains d'entre eux, j'adopterai un ton léger et enjoué, et, dans certains autres, je me montrerai extrêmement sérieux alors que je partagerai des histoires très personnelles et touchantes qui pourraient vous faire monter les larmes aux yeux. J'aime à voir ces chapitres comme autant de fenêtres qui s'ouvrent sur des paysages magnifiques: ils vous aideront à apprécier l'endroit où vous êtes, à élargir vos horizons, à porter votre regard un peu plus loin, à y voir plus clair et à explorer diverses possibilités qui vous permettront d'emprunter de nouvelles avenues.

Il ne vous reste plus qu'à prendre votre temps et à apprécier le voyage. Rien ne sert de courir. Prenez plutôt le temps d'apprécier le contact de l'éléphant chaque fois que vous le toucherez, et de vous délecter de la vue chaque fois que vous ouvrirez une fenêtre. C'est ainsi, en y allant étape par étape et en savourant chacun des moments qui passent, que vous pourrez apprendre à trouver le vrai épanouissement.

PREMIÈRE PARTIE
Après le choc

CHAPITRE 1
Les quatre étapes

Je n'avais pas vu ça venir du tout. Alors que j'étais à l'aube de mes quarante ans, la réalité était si bonne envers moi que je me disais : « Et si c'était vrai, ces histoires qui disent que la vie commence à quarante ans ? » La chance me souriait et tout semblait fonctionner pour moi. Après vingt années à écrire dans un anonymat complet et cinq romans qui n'avaient jamais trouvé d'éditeur, mon premier ouvrage allait enfin être publié. J'aimais mon travail de thérapeute et de conseiller de vie, et ma carrière était sur le point de prendre de nouvelles directions excitantes. J'étais en parfaite santé, mon mariage était solide et j'avais des amis merveilleux. Tout cela semblait bien peu de choses en comparaison de ce qui m'apportait le plus de joie dans ma vie : mon adorable petit garçon, qui était âgé de onze mois seulement. Je n'avais jamais rien connu qui s'apparente à l'immense sentiment d'amour, de joie et de tendresse que ressent un parent lorsqu'il regarde son enfant.

Comme la majorité des nouveaux parents, je pensais que mon fils était le plus beau et le plus intelligent des bébés du monde entier, et je me surprenais souvent à imaginer quelle pourrait être sa vie future. Il serait tellement plus intelligent que moi dans tous les domaines et, contrairement à moi, il excellerait aussi en sport, serait très populaire auprès de ses camarades de classe et, quand il serait un peu plus vieux, charmerait toutes les filles qui croiseraient sa route. Il fréquenterait ensuite l'université, naturellement, où il développerait des compétences qui lui permettraient de décrocher un emploi prestigieux. Ah, les merveilles de l'imagination!

Lorsque notre garçon avait environ dix-huit mois, ma femme et moi avons commencé à nous poser de sérieuses questions à son sujet. Il nous semblait qu'il était en retard dans plusieurs aspects de son développement. Entre autres choses, il ne marchait toujours pas et il ne disait que très peu de mots. Nous l'avons donc emmené chez le pédiatre. Celui-ci l'a examiné attentivement et nous a rassurés en nous disant qu'il avait simplement un développement « plus lent », « comme cela arrive souvent chez les garçons ». Il nous a dit de ne pas nous faire de souci et de revenir le voir si nous avions d'autres inquiétudes.

C'est ce que nous avons fait trois mois plus tard, car nous étions de plus en plus inquiets. Notre fils ne disait pas beaucoup plus de mots, ne marchait toujours pas et semblait ne pas comprendre grand-chose de ce que nous lui disions. Nous avons donc consulté le spécialiste de nouveau. Il a fait passer une autre batterie de tests à notre enfant, deux heures d'évaluation intensive. Or, son verdict a été le même que la fois précédente. Tout était normal : notre petit garçon se développait plus lentement, il allait bientôt rattraper son retard et nous n'avions aucune raison de nous en faire.

Durant les deux mois qui ont suivi, nos inquiétudes n'ont pourtant pas disparu, bien au contraire. Notre enfant avait souvent un air absent, semblant évoluer dans son propre monde. Il allait avoir deux ans et il ne marchait toujours pas. Il se déplaçait en se traînant sur les fesses, ce qui était mignon et rigolo à première vue, mais troublant pour nous à la longue. Il avait également commencé à faire des choses bizarres : il roulait des yeux, grinçait des dents et regardait fixement du coin de l'œil des lignes parallèles sur les murs ou le plancher. Il ne parlait toujours presque pas et ne semblait même pas connaître son propre nom.

Nous avons donc décidé d'obtenir une seconde opinion. Notre nouveau pédiatre était très inquiet et a immédiatement prévu une évaluation en profondeur à laquelle participeraient un orthophoniste et un psychologue. Cinq jours avant son deuxième anniversaire, mon adorable garçon recevait le diagnostic que nous redoutions : il était autiste.

Mon monde s'est écroulé. Je n'avais jamais ressenti de douleur pareille de toute ma vie. «Autisme» est l'un de ces mots qui vous font frissonner quand vous les entendez dans une conversation, un peu comme «cancer» ou «sida». Mais lorsque vous entendez ce mot dans un diagnostic concernant votre propre enfant, cela fait le même effet que si quelqu'un vous plantait un couteau en plein ventre en le tournant lentement, avant de faire ressortir vos intestins par la plaie ouverte.

J'ai pleuré, j'ai sangloté, j'ai hurlé de douleur. Je ne savais pas qu'il était possible de souffrir à ce point. Je m'étais déjà fracturé des os, j'avais été gravement malade, j'avais vu des proches mourir, mais la douleur de ces événements semblait minuscule par rapport à celle que je ressentais maintenant.

■ ■ ■

La Dre Elisabeth Kübler-Ross a décrit les désormais célèbres *cinq étapes du deuil* comme étant le déni, la colère, le marchandage, la dépression et l'acceptation. Bien qu'elles fassent spécifiquement référence à la mort et au deuil, ces étapes peuvent aussi s'appliquer à toutes les formes de pertes, de traumatismes, de crises et de chocs. Il ne s'agit cependant pas d'étapes distinctes et bien définies. Aussi, plusieurs personnes ne passeront pas par chacune d'entre elles. Notons également qu'il n'y a pas d'ordre déterminé dans lequel ces étapes peuvent survenir. En fait, elles surviennent souvent simultanément, allant et venant, et s'entremêlant les unes aux autres; bien souvent, elles semblent se terminer, puis reviennent.

Lorsque vous subissez un choc de la réalité moins violent ou moins gros, il se peut que vous n'éprouviez pas de douleur. Cependant, si vous vivez une crise ou une perte importante, vous passerez presque certainement par au moins quelques-unes de ces étapes. Prenons donc le temps d'en discuter brièvement.

Le *déni* est l'incapacité ou le refus, conscient ou inconscient, de reconnaître la réalité de la situation. Cela peut se manifester par une réticence à en parler ou à y penser, par une volonté de faire comme si rien ne s'était passé ou par un profond sentiment d'irréalité: on se promène dans un état second, en ayant l'impression d'être en train de vivre un mauvais rêve.

Dans l'étape de la *colère*, vous pourriez être en colère contre vous-même, contre les autres ou contre la vie. Bien sûr, la colère se rapproche de plusieurs autres émotions qui vous hanteront fréquemment elles aussi : le ressentiment, l'indignation, la fureur, la rage ou encore un profond sentiment d'injustice, d'iniquité ou de trahison.

Le *marchandage* consiste à essayer de conclure des ententes qui visent à changer la réalité. Nous pouvons par exemple implorer la grâce de Dieu ou demander à notre chirurgien de nous garantir que notre opération sera couronnée de succès. Cela implique souvent une bonne part de pensée magique et de fantasme pour façonner d'autres réalités : «Si seulement *ça* n'était jamais arrivé.» «Si ça s'était passé *comme ça*.»

Malheureusement, l'étape de la *dépression* est mal nommée. On ne connaît pas à proprement parler les symptômes du trouble clinique connu sous le nom de «dépression». Il est plutôt question ici d'émotions normales comme la tristesse, le chagrin, les regrets, la peur, l'anxiété et l'incertitude, qui sont toutes des réactions humaines normales à la perte et au traumatisme.

Finalement, l'étape de l'*acceptation* signifie que l'on fait la paix avec le fossé de la réalité, plutôt que d'essayer de l'éviter ou de lutter contre lui.

Dans les mois qui ont suivi le diagnostic de mon fils, je suis passé par toutes ces «étapes» à de nombreuses reprises. Au moment où j'entame la rédaction de ce livre, trois années se sont écoulées depuis que j'ai vécu ce choc de la réalité. J'ai appris énormément de choses et j'ai grandi, en tant qu'humain, durant tout ce temps. Bien que le choc ne soit plus maintenant qu'un lointain souvenir, le fossé qu'il m'a fait découvrir demeure encore ouvert à ce jour. C'est pourquoi je partagerai avec vous mon parcours, alors que nous cheminerons ensemble à travers ce livre, afin d'illustrer plusieurs des principes que je décris au fil des pages. Je dois dire, au risque de répéter un cliché trop souvent entendu, que même si mon cheminement a été long, douloureux et difficile, il a aussi été incroyablement enrichissant. J'ai connu plus que ma part de tristesse, de peur et de colère en cours de route, mais j'ai également ressenti beaucoup de joie, d'amour et d'émerveillement. Je m'attends à ce que vous éprouviez les mêmes sentiments dans votre propre cheminement.

Bien sûr, le fossé auquel vous devez faire face peut sembler très différent du mien ou de ceux qu'ont pu rencontrer certaines personnes que vous connaissez. Le divorce, la mort ou un handicap, la maladie, une blessure ou une infirmité, la dépression, l'anxiété ou la dépendance : tous ces problèmes *semblent* très différents les uns des autres, mais si l'on gratte un peu sous la surface, on constate qu'ils sont très similaires. Dans chacun des cas, nous faisons face à un fossé important entre la réalité que nous vivons et celle que nous désirons. Plus le fossé est grand, plus la douleur que nous ressentons est importante. Plus la douleur est importante, plus il est difficile d'y faire face. C'est pourquoi je présenterai dans ce livre une stratégie qui vous aidera à affronter tous les types de fossés, peu importe leur taille, et peu importe s'ils sont temporaires ou permanents. Cette stratégie vous aidera à refermer ce fossé, s'il peut être refermé et au moment où il pourra l'être, et à trouver une forme d'épanouissement intérieur dans le cas où il ne pourrait pas être refermé (temporairement ou de façon permanente).

Essentiellement, cette stratégie comporte quatre étapes :

- Ne soyez pas trop dur avec vous-même.
- Jetez l'ancre.
- Prenez position.
- Trouvez le trésor.

Faisons un bref survol de ces étapes immédiatement.

PREMIÈRE ÉTAPE : NE SOYEZ PAS TROP DUR AVEC VOUS-MÊME

Lorsque nous sommes blessés, nous devons éviter d'être trop durs envers nous-mêmes et prendre soin de nous. Malheureusement, c'est plus facile à dire qu'à faire. Pour la majorité d'entre nous, le « réglage de base » de notre esprit consiste à nous montrer sévères, à porter des jugements catégoriques, à être insensibles ou à se montrer très critiques à l'égard de nous-mêmes – ce qui est particulièrement vrai lorsque nous croyons être responsables du fossé qui sépare ce que nous avons de ce que nous désirons.

Nous savons tous que l'autocritique ne nous aide en rien, mais cela ne nous empêche pas de la pratiquer. Pour la plupart d'entre nous, les stratégies populaires de recherche d'épanouissement personnel ne fonctionnent pas à long terme, qu'il s'agisse de remettre en question nos pensées négatives, de se répéter des affirmations positives ou de pratiquer l'autohypnose. Nous ne pouvons nous empêcher d'être sévères, de porter des jugements sur nos actions et nos sentiments, et d'être critiques à l'égard de nous-mêmes. Nous devons donc apprendre l'art de la compassion tournée vers soi pour enfin cesser d'être trop durs envers nous-mêmes et nous accorder les égards que nous méritons. Nous devons apprendre à nous soutenir, à nous réconforter et à gérer nos pensées et nos sentiments douloureux plus efficacement afin qu'ils aient moins d'impact et d'influence sur nos vies.

DEUXIÈME ÉTAPE : JETEZ L'ANCRE
Plus le fossé de la réalité est grand, plus la tempête émotionnelle qu'il déclenche en nous est importante. Vague après vague, des sentiments douloureux viennent s'écraser sur les rives de notre corps, pendant que des pensées déchirantes tournoient frénétiquement dans notre tête. Lorsque nous nous laissons emporter par cette tempête d'émotions et de sentiments dévastateurs, nous sommes impuissants. Il n'y a rien que nous puissions faire, sinon d'essayer désespérément de nous accrocher à quelque chose qui nous empêchera de nous noyer. C'est pourquoi il est important de jeter l'ancre quand cette tempête nous frappe de plein fouet. Nous pouvons ainsi faire le point et prendre les mesures qui s'imposent. Jeter l'ancre ne fait pas disparaître la tempête, mais cela nous permet de garder pied et d'éviter de basculer par-dessus bord en attendant qu'elle passe.

TROISIÈME ÉTAPE : PRENEZ POSITION
Lorsque nous nous retrouvons devant un fossé de la réalité, il est toujours utile de se poser la question suivante : «Quelle position est-ce que je souhaite prendre face à cette épreuve?» Nous pouvons prendre position en décidant de renoncer à la vie, ou en

faisant quelque chose de beaucoup plus significatif et constructif. Nous pouvons décider de nous accrocher à quelque chose d'important à nos yeux, à quelque chose qui nous tient à cœur, qui donnera de la dignité à notre souffrance et qui nous donnera le courage et la volonté de continuer.

Évidemment, nous ne pouvons pas revenir dans le passé. Nous ne pouvons pas défaire ce qui est arrivé. Nous pouvons toutefois choisir l'attitude que nous adoptons face à une épreuve. Nous pouvons parfois refermer le fossé en prenant position, mais à d'autres moments nous en sommes incapables. Cependant, dès lors que nous choisissons de prendre position, nous nous sentons envahis par un profond sentiment de vitalité; nous devons peut-être composer avec une réalité qui n'est pas celle que nous aurions souhaitée, mais nous avons au moins la satisfaction d'avoir un but dans la vie.

QUATRIÈME ÉTAPE : TROUVEZ LE TRÉSOR

Après avoir mis les trois premières mesures en pratique, nous serons déjà dans un tout autre état d'esprit. C'est en profitant de cette position plus stable que nous serons en mesure de trouver et d'apprécier les nombreux trésors que la vie a à nous offrir. Cette dernière étape pourrait paraître impossible à atteindre, surtout si vous êtes actuellement submergé par l'anxiété, la tristesse ou le désespoir. Or, c'est tout sauf impossible. En voici un exemple frappant. Il y a quelques années de cela, une de mes amies a connu un deuil terrible; sa fille de trois ans est morte soudainement, victime de septicémie. C'étaient les funérailles les plus déchirantes auxquelles j'ai assisté : partout autour de moi, les gens étaient aux prises avec un malheur immense qui ne semblait pas avoir de fond.

Ce qui m'a frappé et inspiré dans les mois qui ont suivi, ça a été de voir comment mon amie a continué à s'accomplir. Au beau milieu de cette peine inimaginable, alors qu'elle était tourmentée et abattue par la perte de sa fille, elle a réussi à ne pas perdre contact avec ce qui lui restait dans la vie. Tout en accordant à son deuil la place qu'il méritait, elle prenait soin de voir sa famille et ses amis, en plus de garder le contact avec son travail, sa religion et sa créativité. Ce faisant, elle a été capable de trouver des moments d'amour, de joie et de réconfort. Sa douleur n'a pas disparu pour autant, bien évidemment. Je ne crois pas qu'elle la quittera un jour. Son fossé de la réalité ne s'est pas refermé non plus. Comment serait-ce seulement possible, dans les circonstances? Malgré tout, elle a été capable d'apprécier la réalité qui existait *autour* de ce fossé, d'apprécier tout ce que la vie avait encore à lui offrir.

Si vous n'avez pas d'enfant, vous ne voyez peut-être pas à quel point c'est remarquable. Personnellement, je ne peux m'imaginer d'épreuve plus difficile que celle de perdre un enfant. Plusieurs parents souffrent de dépression intense ou ont des pensées suicidaires en pareilles circonstances. Pourtant, les choses peuvent très bien se passer autrement. Nous avons toujours un choix, même lorsque notre esprit s'acharne à nous dire que ce n'est pas le cas.

Voilà donc la dernière étape de notre cheminement: trouver ce trésor qui est enfoui sous l'immensité de notre peine. Cela ne veut pas dire que nous devons faire fi de la douleur qui est là ou essayer de prétendre que nous n'avons pas mal. Nous reconnaîtrons plutôt cette douleur, en appréciant *également* tout ce que la vie a encore à nous offrir.

À cet instant, il se peut que votre esprit proteste; il soutient peut-être que votre situation est différente de celle des autres et que votre vie demeurera inutile, vide, misérable et insupportable jusqu'à ce que vous puissiez refermer le fossé. Si tel est le cas, rassurez-vous : c'est ce que pensent spontanément beaucoup de gens quand ils entendent parler de cette approche pour la première fois. Si je voulais essayer de convaincre votre esprit qu'il a tort de penser cela, je perdrais presque assurément la bataille. Je pourrais par exemple citer les nombreuses recherches qui ont été effectuées sur la thérapie d'acceptation et d'engagement (ACT), dont plusieurs ont été publiées dans des revues de psychologie de premier plan, et qui démontrent son efficacité non seulement pour traiter la dépression et la dépendance, mais aussi pour aider les gens à réduire le stress au travail ou à composer avec l'annonce d'un diagnostic de cancer avancé. Malgré toutes ces preuves, votre esprit pourrait rejeter mes arguments en disant simplement: «Oui, mais ça ne veut pas dire que ça fonctionnerait pour moi.» À cela, je ne peux rien répondre. Il y a de très bonnes chances que cette approche puisse réellement vous aider, mais je ne peux pas le *garantir*. Ce que je *peux* garantir, en revanche, c'est que si vous cessez de lire ce livre simplement parce que votre esprit vous dit: «Ça ne fonctionnera pas», il ne fait aucun doute que vous n'en tirerez *aucun* avantage!

Alors, si vous laissiez votre esprit dire ce qui lui chante, pour un instant? Laissez-le vous raconter ce qui lui plaît, mais ne le laissez pas vous arrêter. Laissez-le bavarder librement, comme une radio que vous auriez laissée allumée dans la pièce voisine alors que vous lisez, et laissez-vous emporter par votre curiosité pour voir jusqu'où elle pourra vous mener. Parce que même si notre esprit aime à croire qu'il peut prédire l'avenir... au fond, qui sait vraiment ce qui pourra se passer?

CHAPITRE 2
La présence, la raison d'être et le privilège

A lors que Burrhus Frederic Skinner, l'un des psychologues les plus influents de l'histoire de l'humanité, reposait sur son lit de mort, sa bouche devint toute sèche. Un infirmier lui offrit un peu d'eau. Skinner la but à petites gorgées, avec reconnaissance, puis il prononça ce qui devait être son dernier mot : « Merveilleux ! »

Inspirant, n'est-ce pas ? Quand on pense que même sur son lit de mort, alors que ses organes flanchaient, que ses poumons s'affaissaient et que la leucémie s'emparait à grands pas de toutes les parties de son corps, B.F. Skinner était encore capable d'apprécier l'un des plus simples plaisirs de la vie !

Cette histoire contient trois thèmes qui concernent tous les humains cherchant à atteindre l'épanouissement intérieur. Peu importe le chemin que vous empruntez – que vous optiez pour des approches occidentales et scientifiques comme la théorie ACT ou pour des approches spirituelles orientales comme le bouddhisme, le taoïsme ou le yoga –, vous rencontrerez trois thèmes principaux dont les initiales forment l'acronyme PREP : la présence, la raison d'être et le privilège.

LA PRÉSENCE

Si nous voulons trouver un épanouissement durable, nous devons accroître notre capacité de vivre pleinement dans le moment présent. Cependant, il n'est pas toujours facile d'être pleinement présent, c'est-à-dire de participer activement et avec toute notre attention à ce que nous vivons ici et maintenant. Pourquoi ? À cause de ce merveilleux cadeau avec lequel chacun d'entre nous est né, à savoir l'esprit humain. Notre esprit peut faire un tas de choses merveilleuses, et nous serions bien mal pourvus sans lui, mais si vous en avez un, vous remarquerez qu'il ne cesse jamais de réfléchir. L'esprit mâche et remâche des pensées à longueur de journée. Il arrive souvent que nous nous *accrochions* à l'une d'elles et qu'elle nous fasse dévier du cours normal de notre vie. La plupart d'entre nous passons chaque jour de grands moments perdus dans nos pensées, manquant ainsi l'occasion de faire l'expérience de l'instant présent. Fait plus troublant encore, plusieurs ne s'en rendent même pas compte.

Par exemple, avez-vous déjà vécu quelque chose de ce genre ? Vous entrez dans la douche, sentez la chaleur de l'eau qui ruisselle sur votre corps et, pendant un moment, vous vous sentez pleinement présent : complètement absorbé dans l'expérience sensuelle et sensorielle offerte par une bonne douche chaude. L'eau coule le long de votre dos, la chaleur détend vos muscles, et votre corps tout entier vibre de bonheur. C'est alors qu'en l'espace de quelques secondes, vous vous laissez happer par vos pensées : « Qu'est-ce que j'ai à faire, aujourd'hui, encore ? » « Ah oui, je dois terminer ce projet. » « Oh non, j'ai oublié de parler à Diane de notre soirée de filles. » « Qu'est-ce que je vais bien pouvoir préparer pour le dîner de Thomas aujourd'hui ? » « Plus que trois jours avant les vacances, hourra ! » « Hmm, j'ai le tour de taille qui gonfle, moi, je vais devoir me remettre à l'exercice bientôt. »

Plus vous vous plongez dans vos pensées, plus l'expérience de la douche s'estompe jusqu'à ne plus occuper qu'une place secondaire dans le moment que vous vivez. Bien sûr, vous savez que la douche coule toujours, mais vous n'en profitez plus aussi pleinement. C'est un peu comme si votre corps était là, tout seul, à prendre sa douche sur le pilote automatique, alors que vous êtes ailleurs, en train d'avoir une conversation fabuleuse à l'intérieur de votre tête. Puis voilà, avant que vous n'ayez eu le temps de vous en rendre compte, la douche est finie.

La plupart d'entre nous, nous devons le reconnaître, passons de grandes parties de la journée perdus dans nos pensées, errant dans le brouillard épais du *smog psychologique*. Conséquemment, nous passons à côté d'une grande partie des richesses de la vie. Cela est d'autant plus vrai lorsque nous faisons face à un fossé important : notre esprit ressasse une quantité infinie de pensées douloureuses qui n'ont pas de difficulté à nous *accrocher*. Par exemple, si la réalité vient porter quelque chose de dramatique et d'inattendu sur le pas de notre porte (une mort soudaine, un divorce ou un désastre quelconque), nous pourrions nous surprendre à errer dans un état second, incapables d'avoir les idées claires, de nous souvenir de choses toutes simples ou même de faire des tâches pourtant routinières.

Qui plus est, la capacité de nous engager pleinement dans ce que nous faisons et de concentrer notre attention sur ce que nous devons faire est essentielle pour maîtriser quelque habileté ou activité que ce soit. C'est aussi une condition cruciale pour produire toute forme d'action efficace. C'est donc dire que si nous souhaitons réagir efficacement aux différents coups que la vie pourrait nous asséner, nous devons impérativement être *présents*.

Il faut noter que la *présence* est aussi communément appelée la *pleine conscience*. Au fil de ces pages, il se peut que j'utilise les deux termes de façon interchangeable. La pleine conscience est un sujet populaire dans la psychologie occidentale contemporaine, et la plupart des manuels et des livres de croissance personnelle lui prêtent des origines bouddhistes. Or, il s'agit là d'une idée fausse. Le bouddhisme a été créé il y a deux mille six cents ans à peine, alors que le concept de la pleine conscience existait bien avant. Nous pouvons en trouver des traces dans le judaïsme, le taoïsme et le yoga, ainsi que dans des textes remontant jusqu'à quatre mille ans. En fait, les écritures bouddhiques indiquent clairement que Bouddha a appris l'art de la pleine conscience d'un yogi ! Dans ce livre, nous aborderons la pleine conscience, ou la présence, dans la tradition scientifique occidentale (celle de la théorie ACT), qui a plusieurs points communs avec ces approches ancestrales, mais aussi un bon nombre de différences.

LA RAISON D'ÊTRE

«Oui, oui, disent parfois les gens, c'est très bien, cela, être présent, mais qu'est-ce que je vais faire de ma vie, après?» C'est une question très importante. Comme la fleur qui a besoin du soleil pour vivre, la présence a besoin d'une raison d'être; autrement, nous courons le risque d'être tout à fait présents dans une vie qui n'a pas de sens.

L'un des défis les plus importants que nous devons relever au cours de notre vie est de déterminer ce que nous voulons faire de celle-ci. Quel genre de personne souhaitons-nous être? Quelles causes tenons-nous à défendre pendant notre séjour sur Terre? À quelles fins désirons-nous investir notre temps et notre énergie?

Évidemment, certaines personnes sont contentes de suivre la raison d'être que leur impose leur religion, leur famille ou leur culture, mais, pour la majorité d'entre nous, cela n'est pas suffisant. Nous voulons sentir que nous avons un but qui nous est propre, ce qui est sans conteste plus facile à dire qu'à faire. Plus nous serons capables de vivre en accord avec un objectif qui guidera nos actions, aujourd'hui comme dans le futur, plus nous pourrons ressentir ce sentiment d'épanouissement que nous recherchons tant; nous sentirons enfin que nous profitons au maximum du temps passé sur Terre.

Pour certains, il est plus facile de se faire une idée claire des objectifs qu'ils poursuivent dans la vie lorsqu'ils se retrouvent devant un fossé important: ils peuvent alors avoir une *vue d'ensemble* de leur vie, réfléchir à son sens, se recentrer sur leurs valeurs profondes et grandir. Ils peuvent même se découvrir une cause ou se créer une mission qui enflamme leur passion et qui leur donne un sentiment nouveau de vitalité. Pour d'autres, cela a l'effet inverse: leur esprit peut réagir fortement au fossé et prétendre que la vie n'a aucun sens, qu'elle est sans espoir et insupportable. Si nous nous laissons happer par de telles pensées, il nous semble en effet que nous ne poursuivons aucun but. La vie n'est plus alors qu'un fardeau à porter; elle n'a plus de sens. Si nous voulons prendre position devant le fossé de la réalité, nous devons impérativement être en phase avec ce qui est vraiment important à nos yeux: nous devons connaître les valeurs qui nous tiennent à cœur afin de pouvoir créer et définir la raison d'être qui donnera un sens à notre vie.

LE PRIVILÈGE

Lorsque le bois et le feu se marient dans l'âtre de la cheminée, ils nous fournissent une chaleur réconfortante et douce. De la même façon, quand la présence et la raison d'être s'unissent en nous, ils nous procurent un merveilleux sentiment de privilège. Un privilège, c'est un avantage bien spécial qui n'est accordé qu'à un petit nombre. Lorsque nous considérons la vie comme un privilège, à savoir quelque chose qui doit être apprécié et chéri, plutôt que comme quelque chose que nous tenons pour acquis ou que nous considérons comme un problème à régler, notre existence nous apparaît naturellement beaucoup plus enrichissante. Nous disons tous, pour la forme, que la vie est « courte », « précieuse » ou qu'elle est un « cadeau ». Pourtant, nous sommes trop souvent perdus dans nos pensées, dérivant loin de nos objectifs, en oubliant d'apprécier ce que nous avons vraiment en ce moment.

C'est particulièrement le cas dans les moments de grande souffrance. Notre esprit peut protester en disant : « Ce n'est pas juste ! » « Pourquoi moi ? » « Je n'en peux plus. » « Ça ne devrait pas se passer comme ça ! » « Je ne peux pas continuer ainsi plus longtemps. » Ou même, dans les cas les plus graves : « Je veux mourir. » Pourtant, croyez-le ou non, même au milieu de l'adversité la plus complète, il est possible de considérer la vie comme un privilège et d'en tirer le maximum. (Comme je l'ai mentionné au chapitre précédent, si votre esprit proteste en disant que ce n'est pas possible dans votre cas à vous, laissez-le causer, comme s'il s'agissait d'une radio que vous auriez laissé allumée dans la pièce voisine, et poursuivez votre lecture.)

LE LIT DE MORT DE SKINNER

L'histoire du dernier mot de Skinner illustre bien l'importance de l'approche PREP. Alors même qu'il était sur le point de mourir – ce qui constitue probablement le plus grand fossé d'entre tous –, il était encore complètement présent, et capable de savourer cette dernière gorgée d'eau fraîche. Pour ce qui est de la raison d'être, Skinner avait consacré toute sa vie à aider les gens à avoir une meilleure vie. (C'est d'ailleurs quelque chose qu'il a accompli à profusion; ses théories et ses recherches ont révolutionné la psychologie occidentale et ont fortement influencé plusieurs modèles contemporains de thérapie, de coaching et de développement personnel.)

Est-ce que ce sentiment d'avoir une raison d'être était toujours présent alors qu'il était couché sur son lit de mort? Eh bien, sur cela, nous ne pouvons que spéculer. Il me semble toutefois que ce qui l'a guidé dans la vie (aider les autres) s'est prolongé dans l'énoncé de ses dernières paroles. Après tout, à quoi lui servait de dire: «Merveilleux», si ce n'était pour inspirer et réconforter les gens qu'il aimait dans un moment de grande souffrance?

Quant au sens du privilège, Skinner n'a-t-il pas démontré de belle façon qu'il considérait la vie comme un don précieux qu'il chérissait jusqu'à la dernière goutte, en s'assurant de profiter le plus possible de tout ce qu'elle avait de bon à lui offrir?

Cette histoire trouve son écho en chacun d'entre nous. Combien de fois oublions-nous d'apprécier ce que nous avons? Combien de fois tenons-nous la vie pour acquise? Combien de fois passons-nous à côté des merveilles et des miracles de l'existence? Combien de fois laissons-nous défiler notre propre vie sur le pilote automatique, sans avoir le sentiment qu'un objectif clair détermine le cours de nos actions? Combien de fois sommes-nous à ce point pris dans nos problèmes, nos peurs, nos pertes et nos regrets que nous en oublions tout ce qu'il y a de bon dans notre vie?

Ne vous inquiétez pas, je ne vais pas mettre de lunettes roses en vous disant que la vie n'est que douceur et bonheur, et que nous devrions vivre heureux jusqu'à la fin de nos jours. Il est indéniable que la vie est difficile et qu'elle apporte son lot de souffrances. Peu importe à quel point les choses se passent bien, il viendra tôt ou tard un moment où, si nous vivons suffisamment longtemps, nous devrons faire face à un grand fossé. Cependant, s'*il est vrai* que la douleur et les épreuves font partie de la vie, *il est tout aussi vrai* de dire que celle-ci nous offre beaucoup de choses à savourer, à apprécier et à célébrer, et ce, même lorsque nous sommes aux prises avec une grande douleur ou une peur intense. Nous ne serons cependant pas en mesure de prendre la pleine mesure de cette chance avant d'avoir appliqué les principes de la pleine conscience et d'avoir trouvé notre raison d'être. (C'est pourquoi la *pensée positive*, qui consiste à vous dire qu'à quelque chose malheur est bon, a très peu de chances de vous aider s'il s'agit de votre stratégie principale pour faire face à la douleur. En fait, comme nous le verrons plus loin, elle risque plutôt d'augmenter votre peine à long terme!)

Naturellement, si quelqu'un vit des choses absolument atroces – parce qu'il est par exemple enfermé dans un camp de concentration, torturé en prison ou en train de mourir de faim dans le désert éthiopien –, il lui sera bien difficile de trouver quelque chose à savourer ou à apprécier, mais si vous êtes en train de lire ce livre, c'est que, de toute évidence, vous n'êtes pas dans une telle situation. Il n'empêche que certains ont l'impression de vivre une situation qui est presque aussi désespérée que celles mentionnées précédemment. La dernière chose que je souhaite faire, c'est bien de débattre de cette impression avec vous. Tout ce que je vous demande, c'est de garder l'esprit ouvert; vous n'avez pas besoin de *croire* que vous serez en mesure de trouver la présence, la raison d'être et le privilège dans votre propre vie. Contentez-vous simplement de lire ce livre en étant ouvert à ce qui pourra se passer.

Pour le moment, mon seul objectif consiste à intensifier votre conscience. Je vous invite donc à faire ceci: lorsque vous vaquez à vos occupations quotidiennes, remarquez le moment et l'endroit où la présence, la raison d'être et le privilège (PREP) sont présents. Par exemple, après la mort d'un proche, la plupart d'entre nous faisons l'expérience du PREP durant les funérailles. Par moments, nous participons pleinement à la cérémonie (présence); par moments, nos mots et nos actions traduisent une raison d'être très forte; et par moments, nous sommes reconnaissants pour l'amour et la gentillesse que nous témoignent nos proches (privilège). Peu importe ce que vous vivez, remarquez ces moments pendant qu'ils passent.

Quand et où êtes-vous en état de pleine conscience et que faites-vous à ce moment-là? Quand et où sentez-vous que vous vivez en accord avec vos objectifs et que vous faites quelque chose qui a une réelle importance pour vous? Quand et où ressentez-vous un sentiment de privilège, appréciant et célébrant la vie telle qu'elle est à ce moment précis?

Remarquez aussi comment vous contribuez à créer ces moments et ce qu'ils apportent à votre vie. Le simple fait de remarquer ces moments peut faire un monde de différence. Cela n'a peut-être l'air de rien, mais comme nous le verrons plus loin, c'est en fait ce qui est à la base même de notre épanouissement intérieur.

DEUXIÈME PARTIE
Ne soyez pas trop dur avec vous-même

CHAPITRE 3
Une main tendue

Lorsque la réalité vous frappe de plein fouet et vous laisse chancelant, qu'attendez-vous des gens que vous aimez ? La plupart d'entre nous voulons à peu près la même chose. Nous voulons savoir qu'il y a quelqu'un qui est là pour nous : quelqu'un qui s'en fait pour nous ; qui prend le temps de nous comprendre ; qui reconnaît notre peine et qui mesure l'étendue de nos souffrances ; qui consacre le temps nécessaire pour être à nos côtés et qui nous laisse exprimer nos sentiments véritables, sans s'attendre à ce que nous gardions une bonne contenance ou que nous fassions semblant que tout va bien. En somme, nous souhaitons pouvoir compter sur quelqu'un qui nous soutiendra, qui sera bienveillant envers nous et qui nous prouvera, par ses actions, que nous ne sommes pas seuls.

Ce que nous constatons généralement, lorsque nous faisons face à un fossé important, c'est que quelques personnes sont très sensibles à notre peine, faisant ce que nous venons de décrire, mais, hélas, il y en a beaucoup qui ne sont pas aussi attentionnées. Pensez à la dernière fois où vous avez vécu quelque chose d'incroyablement douloureux, stressant ou blessant. Parmi les réactions que cela a suscitées dans votre entourage, quelles étaient celles qui vous ont fait sentir que l'on prenait soin de vous, que l'on vous soutenait, que l'on vous acceptait et que l'on vous comprenait ? Voici quelques réactions qui correspondraient à ces critères pour la majorité des gens. (N'oubliez pas que nous ne fonctionnons pas tous de la même façon, que chaque situation provoque des réactions différentes, que tout le monde n'aime pas être traité de cette manière et qu'il n'existe pas de réaction qui soit appropriée pour toutes les situations et circonstances.)

- Vous serrer très fort, vous donner une accolade ou un câlin.
- Tenir votre main.
- Mettre un bras sur vos épaules.
- Reconnaître votre douleur en disant par exemple : « Cela doit être vraiment dur pour toi. » « Je ne peux pas m'imaginer ce que ça doit être de passer par là. » « Je peux voir que tu souffres terriblement ».
- Ne rien dire, mais s'asseoir avec vous en vous laissant être vous-même.
- Dans certaines circonstances, comme dans le cas d'un deuil pénible, vous prendre dans les bras alors que vous pleurez, ou pleurer avec vous.
- Offrir son soutien en vous demandant : « Est-ce que je peux faire quoi que ce soit pour t'aider ? »
- Vous demander comment vous vous sentez.
- Vous faire part de ses propres réactions en vous disant : « Je suis si désolé. » « Je suis vraiment fâché. » « Je me sens tellement impuissant. J'aurais voulu pouvoir faire quelque chose. » Ou même, tout simplement : « Je ne sais pas quoi te dire. »
- Créer de l'espace pour votre douleur en disant : « Veux-tu en parler ? » « Tu peux pleurer, tu sais. » Ou bien : « Nous n'avons pas besoin de parler. Je peux simplement rester assis ici, avec toi. »
- Vous offrir un soutien sans condition, par exemple en vous préparant à manger, en s'occupant de vos enfants ou en vous aidant à accomplir vos tâches quotidiennes.
- Faire l'effort de vous rendre visite et de passer du temps avec vous.
- Vous écouter sincèrement, alors que vous parlez de ce que vous vivez.
- Dire quelque chose comme : « Je suis là pour toi », en le pensant vraiment.

Ces différentes réactions envoient toutes le même message : je suis là pour toi, tu es important à mes yeux, je t'accepte comme tu es, je te comprends, je vois que tu as de la peine et je veux t'aider. Il existe d'innombrables façons de faire passer ce message, dont certaines sont simplement plus éloquentes que d'autres. Par exemple, lorsque mon fils a reçu son diagnostic pour la première fois, ma douleur était à peine supportable. L'une des réactions les plus merveilleuses qu'il m'ait été donné de voir a été celle de mon meilleur ami Johnny. Johnny est un type très terre à terre, alors quand il est venu me voir quelques jours après, il m'a donné une franche accolade en me disant : « Mon pauvre ami ! Tu dois vraiment te sentir comme une vieille merde ! » Ce n'étaient pas là les mots les plus poétiques que j'aie jamais entendus, mais ils étaient dits avec tant de chaleur et de gentillesse qu'ils m'ont touché plus profondément que n'importe quel poème n'aurait pu le faire.

De telles réactions pleines de compassion et de sincérité peuvent toutefois être bien rares. Cela est principalement dû au fait que les gens ne savent pas comment réagir en pareilles circonstances : la société ne nous a pas appris ce qu'il convient de faire. Vous rencontrerez souvent des gens qui réagiront en faisant l'une des choses qui se trouvent dans la liste suivante – et la plupart d'entre nous devons reconnaître, si nous sommes vraiment honnêtes, que nous l'avons déjà fait au cours de notre vie – c'est mon cas, du moins !

- Vous citer des proverbes et des maximes : « Une de perdue, dix de retrouvées. » « Le temps guérit toutes les blessures. » « À quelque chose, malheur est bon. »
- Vous dire de demeurer positif dans l'adversité.
- Vous demander comment vous allez, avant de changer rapidement de sujet.
- Vous donner des conseils : « Tu devrais faire ceci. » « As-tu pensé à faire cela ? »
- Empiéter sur votre douleur : « Ah oui, je suis passé par là plusieurs fois, moi aussi. Voilà ce qui m'a aidé… »
- Vous dire de passer à autre chose : « Change de refrain. » « Lâche le morceau. » « Ne crois-tu pas qu'il est temps de passer par-dessus cela ? »

- Minimiser l'importance de vos sentiments : «C'est inutile de regretter ce qu'on ne peut pas changer.» «Ce n'est pas la fin du monde, quand même.» «Ressaisis-toi!» «Retrousse-toi les manches.»
- Vous dire que vos pensées ne sont pas rationnelles ou que vous avez trop de pensées négatives.
- Banaliser ou diminuer votre douleur : «Si on met les choses en perspective... tu sais, il y a des enfants qui meurent en Afrique...»
- Essayer de vous distraire : «Allez, viens, on va prendre un verre pour oublier ça!» «Sors t'amuser un peu pour te changer les idées.» «On va aller voir un bon film.» «Viens, on va manger du chocolat.»
- Éviter d'aller vous voir ou de passer du temps avec vous, ou même de vous croiser.
- Se prendre pour «monsieur le réparateur» en proposant toutes sortes de solutions à votre problème.
- Offrir son aide, mais sans jamais passer de la parole aux actes.
- Vous écouter en montrant des signes d'impatience.
- «Tolérer» votre détresse sans l'accepter véritablement.
- Vous rassurer : «Ça va aller, tu vas voir.» «Ce n'est pas aussi pire que tu le crois.» «Tu vas t'en sortir.» (Remarquez bien que plusieurs personnes considèrent ces remarques comme des preuves de compassion – et cela peut vraiment être le cas parfois. Ce qui pose problème, c'est que cela place la personne qui rassure au-dessus de la personne rassurée, à l'image d'un parent qui consolerait son enfant.)
- Vous donner des informations sur votre problème ou de meilleures stratégies pour y faire face, sans vous demander au préalable comment vous vous sentez.
- Essayer de minimiser votre douleur : «Tu vas voir, quand tu repenseras à tout cela plus tard, tu en riras.» «Dans un an de cela, ce ne sera plus qu'un lointain souvenir.»
- Vous offenser : «Tu fais une tempête dans un verre d'eau.» «Encaisse le coup comme un homme.» «Cesse de te comporter comme un enfant!»
- Vous blâmer : «Tu l'as bien cherché.» «Si tu n'avais pas fait telle chose, cela ne se serait jamais produit.»
- Vous ignorer.

Si quelques-unes des réactions de la deuxième liste sont impolies ou insultantes, la plupart ne sont que des tentatives sincères pour vous venir en aide. Cependant, en entendant de pareilles réponses, plusieurs peuvent se sentir blessés, irrités, rejetés, peu appréciés, incompris ou insultés. Par exemple, lorsque mon fils a reçu son diagnostic, quelqu'un m'a dit : « Le bon Dieu donne des enfants spéciaux à des parents spéciaux. » J'étais hors de moi. Même si cette personne avait de bonnes intentions et qu'elle essayait sincèrement de me dire quelque chose de gentil, elle avait parlé beaucoup trop vite ; elle n'avait pas commencé par faire un effort pour voir ma douleur, ni pour la reconnaître et la comprendre. C'est pour cela que je n'ai pas du tout eu l'impression qu'elle comprenait ce que je vivais et que je n'ai pas senti qu'elle me soutenait ou qu'elle se souciait réellement de mon bien-être. À mes oreilles, c'était un commentaire vide de sens, de compréhension ou de compassion. Au fond de moi, au-delà de la colère que je ressentais, cette petite phrase m'avait blessé et rendu bien triste.

À l'évidence, certaines des réactions de la seconde liste, comme les solutions pour régler un problème ou les conseils pratiques, peuvent s'avérer utiles... mais seulement si elles arrivent *au bon moment* et si elles sont *précédées* par l'empathie et la bienveillance. Par exemple, tous mes livres contiennent des citations bien connues qui, lorsqu'elles sont dites *au bon moment*, peuvent être réconfortantes et inspirantes. Cependant, si c'est la première chose que vous dites à une personne qui vient de recevoir un choc en faisant face à la réalité, vous lui donnerez l'impression de manquer de délicatesse ou d'être insensible. Imaginez un instant qu'une personne que vous aimez énormément vienne de mourir et que la première chose que l'on vous dise soit : « Eh bien, tu sais ce qu'on dit, hein ? Ce qui ne nous tue pas nous rend plus fort ! » Ou encore : « On a beaucoup à apprendre de nos blessures. » Comment vous sentiriez-vous, à votre avis ?

En règle générale, les réactions empreintes de compassion, comme celles de la première liste, devraient venir avant tout le reste. Si quelqu'un s'empresse de nous donner un conseil, de nous citer un proverbe ou une pensée positive, ou encore de nous proposer un plan d'action avant même de nous avoir témoigné sa compassion, nous allons probablement nous sentir contrariés, vexés, offensés, blessés ou irrités... souvent sans même comprendre pourquoi nous nous sentons ainsi.

Lorsque nous souffrons, la majorité d'entre nous désirons être compris, acceptés et soutenus *avant* d'être prêts à commencer à chercher des solutions, des stratégies ou de nouvelles façons de considérer la situation dans laquelle nous nous trouvons. Ce n'est qu'une fois que nous nous sentons pleinement compris, acceptés et soutenus que nous pouvons *peut-être* apprécier *une partie* des réactions de la deuxième liste. Cela ne concerne évidemment pas les réactions plus offensantes, par exemple quand quelqu'un nous blâme, minimise notre problème ou nous dit d'être simplement plus forts, car, là, nous nous sentons encore plus mal.

Voici maintenant quelques questions auxquelles vous pouvez réfléchir :

- Quelle est la personne qui est toujours là pour vous, peu importe le moment et ce que vous vivez ?
- Quelle est la personne qui peut reconnaître et comprendre votre souffrance, et ce, mieux que quiconque sur cette planète ?
- Quelle est la personne qui peut savoir exactement combien vous souffrez ?

Cette personne, c'est vous.

Vous êtes donc dans une position unique. Peu importe à quel point les choses seront difficiles dans votre vie, *vous* serez toujours là ; même si personne d'autre n'est disponible, *vous* le serez toujours ; et *vous* pourrez toujours faire quelque chose pour vous aider – même si votre esprit vous dit le contraire.

Il est essentiel de développer une bonne relation avec nous-mêmes si nous voulons trouver l'épanouissement intérieur, particulièrement lorsque nous faisons face à un fossé important. Malheureusement, cela ne vient pas naturellement. La plupart d'entre nous ne sommes pas très doués pour nous accepter, nous apprécier, prendre soin de nous, nous soutenir, nous encourager ou avoir de la compassion pour notre propre personne. Il arrive bien plus souvent que nous nous autoflagellions, que nous nous jugions très sévèrement, que nous nous négligions ou que nous baissions les bras. Malheureusement, quand nous faisons face à de très grands fossés, nous avons tendance à nous jeter sur les stratégies de la deuxième liste plutôt que de choisir les réactions empreintes de compassion de la première liste.

Vérifiez par vous-même : lisez les deux listes de nouveau et essayez de voir à quelle fréquence vous vous dites et faites des choses de la deuxième liste, comparativement à celles de la première.

■ ■ ■

Imaginez maintenant un moment que vous pouvez changer la relation que vous avez avec vous-même ; que vous pouvez devenir votre meilleur ami. (Votre esprit vous dira peut-être que c'est là un scénario bébête ou impossible, mais si vous prêtez foi à cette hypothèse et que vous poursuivez votre lecture, vous verrez que ce n'est pas du tout le cas. Pour le moment, laissez votre esprit dire ce qu'il veut.) Une fois que vous avez appris à faire cela, vous êtes dans une position merveilleuse. Pourquoi ? Parce que peu importe où vous allez, peu importe ce que vous faites et peu importe la taille du fossé auquel vous faites face, votre meilleur ami est là pour vous soutenir, pour vous témoigner de la compassion lorsque vous souffrez, pour vous comprendre lorsque vous vous trompez et pour vous encourager lorsque vous songez à renoncer.

RESSENTIR DE LA COMPASSION ENVERS SOI-MÊME

À la fin du film *Casablanca*, Humphrey Bogart marmonne cette phrase devenue célèbre : « Louis, je pense que c'est le début d'une merveilleuse amitié. » Quand nous commençons à comprendre un peu mieux ce qu'est la compassion envers soi-même, nous posons à notre tour les bases d'une merveilleuse amitié avec nous-mêmes. Le mot « compassion » vient de deux mots latins : « *com* » signifie « avec » et « *pati* », « souffrir ». Au sens littéral, « compassion » voudrait donc dire « souffrir ensemble ». De nos jours, cependant, cette signification s'est complexifiée : il s'agit de remarquer la souffrance des autres, avec un esprit attentionné et empreint de sollicitude, tout en ayant un désir sincère d'aider, de donner ou de soutenir.

La compassion envers soi est essentielle pour quiconque cherche à trouver l'épanouissement intérieur ; lorsque la réalité nous frappe en plein visage, nous avons besoin de toute la bonté qui peut nous être offerte. Pour la plupart d'entre nous, toutefois, cela est plus facile à dire qu'à faire. Quelle est la réaction la plus naturelle de notre esprit quand nous connaissons des échecs, que nous subissons le rejet, que nous faisons des erreurs, que nous nous surprenons en train de faire des choses que nous n'aimons pas ou lorsque nous nous croyons responsables du fossé de la réalité auquel nous faisons face ? L'autoflagellation a bien souvent la préséance sur la compassion envers soi-même. Notre esprit est toujours prêt à s'armer d'un gros bâton pour nous donner une bonne correction et nous frapper alors que nous sommes déjà au sol. Il peut nous dire que nous ne sommes pas assez forts, que nous devrions nous occuper de nos affaires bien mieux que nous ne le faisons et qu'il y a des gens qui sont dans une situation bien pire que la nôtre. En somme, il nous dira que nous n'avons pas à nous plaindre. Notre esprit pourra nous dire de nous ressaisir et de nous reprendre en main. Il pourrait même nous dire que nous sommes pathétiques et que nous n'avons qu'à nous blâmer pour ce qui nous arrive.

Par exemple, lorsque quelqu'un que nous aimons vient à mourir, notre esprit peut nous reprocher de ne pas l'avoir aimé suffisamment, de ne pas avoir été assez présent à ses côtés ou de ne pas lui avoir dit assez souvent que nous l'aimions ; parfois, il peut même nous accuser de ne pas avoir su empêcher sa mort ! L'un de mes clients s'en voulait d'avoir survécu à un écrasement d'avion. Son esprit lui disait que ce n'était pas juste qu'il ait survécu alors que douze autres passagers avaient péri dans l'accident : c'était un cas classique de la *culpabilité du survivant*. (Quand mon propre enfant a été diagnostiqué autiste, mon esprit m'en a voulu de lui avoir transmis des gènes déficients.)

Même s'il ne se lance pas dans de pareilles attaques personnelles, l'esprit est souvent dur, froid et insensible ; plutôt que de nous aider à nous en sortir, il écrase notre volonté. Il nous dit que nous ne sommes pas capables de surmonter une telle épreuve et que la vie ne vaut pas la peine d'être vécue ; à moins qu'il ne nous répète, encore et encore, à quel point la vie a été injuste envers nous et qu'il ne fasse surgir des craintes terribles concernant ce qui se produira dans le futur. Si nous apprenons à ne pas être trop durs envers nous-mêmes, nous réagirons beaucoup mieux. Nous nous sentirons soutenus, réconfortés, encouragés et bien mieux outillés pour faire face au fossé qui se trouve devant nous.

J'aimerais maintenant vous donner un aperçu de ce à quoi peut ressembler la compassion envers soi-même. J'ai remarqué que plusieurs hommes résistent au début à l'exercice suivant parce qu'ils le jugent trop féminin ou sentimental. Cependant, une fois qu'ils vont au-delà de cette première impression néga-tive et qu'ils prennent la peine de l'essayer, ils le trouvent invaria-blement utile.

UNE MAIN TENDUE

Je vous invite à trouver une position confortable, dans laquelle vous vous sentez centré sur vous-même et alerte. Par exemple, si vous êtes assis sur une chaise, vous pourriez vous pencher légèrement en avant, en redressant le dos, en relâchant vos épaules et en appuyant légèrement vos pieds sur le sol.

Essayez maintenant de penser à un fossé de la réalité auquel vous faites face actuellement. Prenez quelques ins-tants pour réfléchir à ce fossé : souvenez-vous de ce qui s'est passé, pensez à la façon dont cela vous a affecté et à l'in-fluence qu'il peut avoir sur votre avenir. Remarquez alors les pensées et les sentiments difficiles qui surgissent en vous.

À présent, prenez l'une de vos mains et imaginez qu'il s'agit de la main d'une personne très gentille et attentionnée.

Placez cette main, doucement et délicatement, sur la partie de votre corps qui vous fait le plus mal. Peut-être sentirez-vous que la douleur se loge dans votre poitrine, à moins qu'elle ne se situe davantage dans votre tête, votre cou ou votre estomac. Peu importe l'endroit où elle est le plus intense, c'est là que vous devez poser votre main. (Si vous vous sentez engourdi, placez votre main à l'endroit qui vous semble le plus engourdi. Si vous n'éprouvez ni douleur ni engourdissement, placez simplement votre main au centre de votre poitrine.)

Laissez votre main posée sur vous, doucement et délicatement; prenez le temps de sentir sa présence contre votre peau ou vos vêtements. Sentez la chaleur qui se dégage de votre paume pour aller réchauffer votre corps. Maintenant, imaginez que votre corps s'adoucit autour de cette douleur : il se détend, il se relâche et il crée de l'espace autour de votre main. Si vous vous sentez engourdi, imaginez que votre corps se détend et s'adoucit autour de cet engourdissement. (Si vous ne sentez ni douleur ni engourdissement, imaginez que votre cœur s'ouvre de quelque manière que ce soit, un peu comme par magie.)

Tenez cette douleur ou cet engourdissement très doucement dans votre main. Tenez-la comme s'il s'agissait d'un bébé en pleurs, d'un chiot qui geint ou d'une œuvre d'art d'une valeur inestimable.

Concentrez toute votre attention et votre chaleur dans cette action délicate… comme si vous tendiez la main à une personne que vous aimez.

Laissez la bonté couler de vos doigts pour remplir votre corps tout entier.

Maintenant, utilisez vos deux mains pour faire un geste plein de générosité. Placez une main sur votre poitrine et une autre sur votre estomac. Laissez-les posées là, doucement, et tenez-vous gentiment le ventre. Demeurez dans cette position aussi longtemps que vous le souhaitez et profitez de ce moment au cours duquel vous êtes en lien direct avec vous-même. Profitez du réconfort, du soutien et de l'attention que vous vous donnez.

Restez ainsi le temps que vous voulez : cinq secondes ou cinq minutes, peu importe. C'est l'esprit de bonté qui se dégage de l'exercice qui est important, et non pas sa durée.

■ ■ ■

La plupart des gens trouvent cet exercice très apaisant. Il les aide généralement à se recentrer et leur apporte un certain réconfort. Je vous encourage donc à le faire plusieurs fois au cours de la journée. (Évidemment, il se peut que ce ne soit pas très bien vu au beau milieu d'une rencontre d'affaires ; il vaut donc mieux réserver cette activité au domaine du privé !) Si, par hasard, vous ne ressentez aucun bienfait après avoir fait cet exercice, essayez-le de nouveau à quelques reprises. Avec le temps, il est fort probable que vous commenciez à en apprécier les bienfaits et que vous le trouviez utile.

Sentez-vous par ailleurs libre d'adapter ou de modifier cet exercice. Par exemple, si vous n'aimez pas placer vos mains comme je l'ai décrit, vous pouvez faire un autre geste de gentillesse : frotter votre cou ou vos épaules, masser vos tempes ou vos paupières, frotter doucement votre front ou votre bras, etc.

Ce simple geste de compassion envers soi pourra avoir une influence considérable si vous le faites souvent. Considérez cela comme des *premiers soins émotionnels* : c'est la toute première mesure que vous devrez prendre lorsque vous souffrez.

LES DEUX ÉLÉMENTS

La compassion envers soi-même est composée de deux principaux éléments et, jusque-là, nous ne nous sommes penchés que sur le premier : être bon envers soi-même. Dans les prochains chapitres, nous explorerons la gentillesse à l'égard de soi-même plus en détail, mais, pour le moment, nous porterons notre attention sur le second élément : être présent aux côtés de notre douleur.

Remarquez bien la réaction de votre esprit après la lecture de la phrase précédente. Vous dit-il quelque chose qui ressemble à ceci : « Mais je ne veux pas être présent aux côtés de ma douleur ! Je veux m'éloigner le plus loin possible d'elle ! » ? Si votre esprit a réagi ainsi, cela n'a rien d'étonnant ; cela reflète simplement une mauvaise compréhension de ce qu'est la présence. Vous voyez, la présence – que l'on appelle aussi la *pleine conscience*, si vous vous souvenez bien – implique une nouvelle façon de réagir à notre douleur ; elle diminue considérablement l'influence des émotions qui nous font mal et nous libère du smog des pensées douloureuses.

Si vous n'avez aucune idée de ce dont il est question, j'espère que vous saurez être patient, parce que j'entends bien l'expliquer dans les prochains chapitres.

CHAPITRE 4
De retour au temps présent

Ali, un réfugié irakien, a subi des tortures terribles sous le régime de Saddam Hussein. Accusé d'avoir osé critiquer le gouvernement sur la place publique, il a été emprisonné pendant plusieurs mois au cours desquels ses geôliers lui ont fait subir les pires affronts. Deux ans plus tard, alors qu'il était assis en face de moi dans mon bureau, Ali avait sans cesse des *reviviscences* (aussi appelées *flash-back* ou *rappels d'images*) de ces événements. Une reviviscence est un souvenir extrêmement précis et qui semble à ce point réel que l'on a l'impression qu'il se produit au moment présent, alors qu'on se le remémore involontairement. Si vous n'avez jamais connu une pareille expérience, vous ne pouvez pas vous imaginer à quel point cela peut être terrifiant.

Dès qu'Ali essayait de me parler de la période qu'il avait passée en prison, une reviviscence venait le harceler ; son corps devenait alors très tendu, ses yeux semblaient vitreux et son visage devenait pâle et se mouillait de sueur. Replongé dans l'horreur du passé, il revivait les épisodes de torture comme si cela lui arrivait encore aujourd'hui. Ma première tâche, avant que je ne puisse m'attaquer à l'un de ses nombreux et graves problèmes, était donc de lui enseigner à retrouver le temps présent.

Bien que la situation d'Ali soit hors du commun, elle n'est pas si différente des défis auxquels nous devons faire face lorsqu'un grand fossé s'ouvre devant nous.

L'esprit a plusieurs façons d'accaparer notre attention. Comme dans le cas d'Ali, il pourrait nous ramener dans le passé en nous rappelant constamment les événements douloureux qui ont contribué à ouvrir le fossé. À l'inverse, il pourrait nous projeter dans l'avenir en nous faisant voir toutes sortes de scénarios effrayants. Il pourrait même nous traîner jusque dans les profondeurs de nos problèmes actuels en nous enfouissant la tête dans notre douleur, notre stress et nos difficultés. Par exemple, dans la première semaine qui a suivi le diagnostic de mon fils, j'étais perdu dans un épais brouillard de rage, de désespoir et de peur; je pataugeais dans des pensées qui allaient de «Ce n'est pas juste» à «Pourquoi moi?», en passant par «Et si seulement...». La réalité me rendait furieux: comment pouvait-elle me traiter de la sorte? Je fulminais contre le côté injuste de la vie: «Comment cela a-t-il pu arriver? Pourquoi certains parents, qui sont pourtant si mal outillés pour ce rôle, ont-ils des enfants en parfaite santé alors qu'ils n'en veulent même pas?»

Même s'il est tout à fait normal que notre esprit réagisse ainsi, cela n'est pas particulièrement utile. Nous ne pouvons pas réagir de façon efficace, quand nous nous retrouvons devant un fossé de la réalité, si nous sommes perdus dans le brouillard de nos pensées douloureuses. La première chose que nous devons faire est donc d'apprendre à revenir dans le présent. Nous pouvons y arriver en ayant recours à ce que j'appelle l'*engagement*.

L'ENGAGEMENT

L'engagement est l'une des trois principales habiletés de la pleine conscience. (Les deux autres sont la *défusion* et l'*expansion*; nous en parlerons dans les prochains chapitres.) L'engagement est la capacité d'être pleinement engagé dans l'expérience du présent: d'être ouvert, curieux et parfaitement conscient de ce qui se passe ici et maintenant.

Essayez d'envisager la vie comme un spectacle scénique en perpétuel changement. Sur la scène, on trouve l'ensemble de vos pensées et de vos sentiments, ainsi que tout ce que vous pouvez voir, entendre, toucher, goûter et sentir. L'engagement peut se comparer au fait d'éclairer différentes parties de la scène pour mieux en apprécier les détails: par moments, on braquera le projecteur sur un acteur en particulier, alors qu'à d'autres moments, les lumières illumineront la scène tout entière.

Il ne peut y avoir d'actions efficaces sans engagement. Si nous voulons faire quoi que ce soit de façon convenable, qu'il s'agisse de danser, de skier, de faire l'amour, d'avoir une conversation intéressante, d'empiler de la vaisselle ou de jouer aux cartes, nous devons porter notre attention tout entière sur la tâche qui nous occupe. Plus nous nous empêtrons dans le tourbillon de nos pensées, moins nous sommes efficaces dans nos actions. Notre performance s'en ressent; nous faisons des erreurs; nous ne sommes pas aussi bons qu'à l'accoutumée. Nous avons tous vécu cela à de nombreuses reprises, dans des centaines, sinon des milliers d'activités différentes.

Mais seulement, voilà: peu importe le type de fossé auquel nous devons faire face – que ce soit une maladie mortelle, une infidélité, l'obésité, une fausse couche, l'isolement social ou une perte d'emploi –, une action sera requise. Si nous voulons agir de façon efficace face à l'adversité, nous devons donc impérativement nous extirper de nos pensées pour nous engager pleinement dans le monde qui nous entoure. L'exercice suivant montre comment y parvenir. Je l'appelle « Être comme un arbre », et j'aime à le faire deux ou trois fois par jour, et même beaucoup plus quand je suis particulièrement stressé.

ÊTRE COMME UN ARBRE

Pensez à un grand arbre: ses longues racines sont profondément ancrées dans le sol, son tronc solide se dresse vers le ciel, et ses branches s'étendent largement, semblant vouloir toucher l'azur. Utilisez cette image pour vous inspirer alors que vous suivrez les étapes suivantes.

Première étape: les racines
Que vous soyez debout ou assis, posez vos pieds fermement sur le sol. Sentez le sol qui se trouve en dessous de vous et poussez délicatement vos pieds vers le bas. Remarquez la pression du sol contre la plante de vos pieds et la légère tension dans vos jambes. Redressez votre dos et laissez vos

épaules se relâcher vers l'arrière. Sentez cette sensation de gravité qui descend le long de votre colonne vertébrale pour se rendre jusque dans vos jambes et vos pieds, puis jusque dans le sol. C'est comme si votre corps s'ancrait dans le sol et que vous étendiez vos racines dans la terre.

Deuxième étape : le tronc
Amenez lentement votre attention un peu plus haut, en passant des racines au tronc (ce n'est pas une coïncidence si l'abdomen et la poitrine sont communément appelés le *tronc* du corps). Continuez d'accorder une certaine attention à vos pieds posés sur le sol, mais concentrez-vous surtout sur votre tronc. Asseyez-vous droit sur votre chaise ou restez bien droit si vous êtes debout, puis remarquez le changement dans votre posture. Respirez lentement et profondément. Observez l'expansion et la contraction de votre cage thoracique. Remarquez le léger tangage de vos épaules. Voyez comment votre abdomen suit à son tour ces mouvements et ce rythme. Videz maintenant vos poumons complètement, puis laissez-les se remplir naturellement. Laissez votre conscience s'accroître en continuant de prêter attention à l'ensemble de votre tronc (vos poumons, votre poitrine, vos épaules et votre abdomen). Répétez cet exercice pendant au moins dix respirations ; si vous avez plus de temps, faites-le pendant quinze ou vingt respirations.

Troisième étape : les branches
Comme les branches d'un arbre qui s'étendent vers le ciel, entrez à votre tour en contact avec le monde qui vous entoure. Activez vos cinq sens et laissez-les aller dans toutes les directions : remarquez, avec toute votre curiosité, ce que vous pouvez voir, entendre, sentir, toucher et goûter. Continuez à sentir votre tronc et vos racines, tout comme le rythme de votre respiration, mais concentrez-vous principalement sur votre environnement. Prenez conscience de l'endroit où vous êtes et de ce que vous faites. Respirez et goûtez l'air que vous respirez. Remarquez cinq choses qui touchent votre peau, comme l'air sur votre visage, le tissu de votre

vêtement sur votre dos ou la montre à votre poignet. Remarquez cinq choses que vous pouvez voir et prêtez attention à leur taille, à leur forme, à leur couleur, à leur luminosité et à leur texture. Soyez maintenant attentif à cinq choses que vous pouvez entendre, qu'il s'agisse de sons de la nature ou de la civilisation. Vous êtes maintenant prêt à vous engager pleinement dans la tâche que vous désirez accomplir, en y accordant toute votre attention.

■ ■ ■

L'exercice «Être comme un arbre» ne prend que de trois à six minutes, selon le nombre de respirations que vous prenez à la deuxième étape. En règle générale, plus votre douleur émotionnelle est grande, plus vous devez le faire longtemps. Si vous le voulez, vous pouvez y joindre l'exercice «Une main tendue» qui a été décrit au chapitre précédent. Pour ce faire, placez doucement votre main sur votre corps à la deuxième étape du présent exercice afin de vous *envoyer* de la chaleur et de la bonté. Cela vous aidera à vous insuffler une bonne dose de compassion.

Vous avez probablement remarqué que, malgré vos meilleures intentions, votre esprit a détourné votre attention de l'exercice plusieurs fois. Il vous a emporté avec lui sans même que vous vous en soyez rendu compte. (Si cela ne s'est pas produit, soit vous avez beaucoup de chance, soit vous êtes déjà très doué pour ce type d'exercice.) Dans les chapitres suivants, nous chercherons à comprendre comment et pourquoi notre esprit agit de la sorte et nous verrons ce que nous pouvons faire pour le rappeler à l'ordre.

Entre-temps, faites cet exercice tous les jours, idéalement à deux ou trois reprises. Même si vous ne remarquez pas d'effet marqué au début, persistez dans vos efforts. Avec le temps, vous en serez amplement récompensé. Et si votre esprit s'impatiente et demande des résultats immédiats, rappelez-vous ces sages paroles du grand auteur écossais Robert Louis Stevenson:

Ne juge pas chaque jour à la récolte que tu fais,
mais aux graines que tu sèmes.

CHAPITRE 5
La voix de son maître

Pouvez-vous l'entendre, cette voix dans votre tête ? Celle qui ne se tait pratiquement jamais ? Il y a une idée fausse, mais pourtant très répandue, selon laquelle les personnes qui *entendent des voix* sont anormales d'une façon ou d'une autre. Pourtant, nous avons tous au moins une voix dans notre tête, et nombreux sont ceux qui en ont plusieurs ! Par exemple, la plupart d'entre nous avons déjà été pris dans un débat intérieur entre *la voix de la raison et de la logique* et *la voix du pessimisme et du scénario du pire*, ou encore entre *la voix de la revanche* et *la voix du pardon*. Par ailleurs, nous connaissons tous cette petite voix qui passe son temps à juger nos actions et que l'on appelle parfois le *critique intérieur*. (J'ai demandé un jour à un client s'il avait entendu parler du critique intérieur, et il m'a répondu que non seulement il en avait entendu parler, mais qu'il devait même composer avec un « comité décisionnel intérieur » au grand complet !)

Évidemment, notre capacité de réfléchir est très précieuse et améliore énormément notre qualité de vie. Sans elle, nous ne pourrions pas apprécier les livres, les films, la musique ou les beaux-arts, pas plus que nous ne pourrions rêvasser, planifier notre avenir ou partager nos émotions avec nos proches. Cela dit, une grande partie de nos pensées ne sont pas particulièrement utiles. Imaginez que je me connecte à votre esprit et que j'enregistre toutes vos pensées des vingt-quatre prochaines heures afin de les retranscrire sur papier. Si je vous demandais ensuite de lire l'ensemble de cette retranscription et de souligner toute pensée qui a été *véritablement utile* dans vos efforts pour réagir efficacement au fossé auquel vous faites face, quel pourcentage de vos pensées serait souligné, à votre avis?

Pour la plupart d'entre nous, ce pourcentage serait plutôt maigre. En fait, c'est comme si l'esprit avait un esprit qui lui est propre; on dirait parfois qu'il parle à longueur de journée de ce qui lui plaît, sans égard au fait que cela nous soit utile ou non. Il semble se complaire à s'attarder sur les douleurs du passé ou sur les inquiétudes concernant l'avenir, quand il n'est pas obsédé par le fossé de la réalité du présent. Pourtant, malgré le fait que ce qu'il a à nous dire soit souvent contre-productif, il parvient presque toujours à nous embarquer dans ses histoires.

Avant de continuer, je tiens à expliquer ce que je veux dire par «histoires», parce que certains de mes clients sont offusqués lorsque j'utilise ce mot. «Ce ne sont pas des *histoires*, me disent-ils, ce sont des *faits*!» Ce à quoi je réponds généralement: «Je suis désolé de vous avoir offensé en disant cela, mais j'utilise ici le mot "histoire" pour désigner une séquence de mots ou d'images qui transmettent des informations. Je pourrais employer un terme plus commun comme "pensées" ou plus technique comme "processus cognitif", mais je préfère parler d'histoires, puisque cela nous aide à mieux les saisir. Vous voyez, l'esprit nous raconte toutes sortes d'histoires du matin au soir. Si ce sont des "histoires vraies", nous les appelons des "faits". Or, ces faits ne comptent que pour un infime pourcentage de l'ensemble de nos pensées. Ces dernières incluent également toutes sortes d'idées, d'opinions, de jugements, de théories, d'objectifs, d'hypothèses, de rêveries, de fantasmes, de prédictions et de croyances que l'on pourrait difficilement appeler "faits". Le mot "histoire" ne veut donc pas dire que nos pensées sont fausses, inexactes ou non valables: il s'agit simplement d'un moyen de décrire ce que sont vraiment les pensées, à savoir "des mots ou des images qui transmettent des informations".»

J'utiliserai le terme «histoire» assez fréquemment tout au long de ce livre. Si cela vous heurte ou que vous ne l'aimez pas, remplacez-le dans votre tête par le terme technique «processus cognitif» ou encore par le terme usuel de «pensées».

Maintenant, posez-vous les questions suivantes : Est-il fréquent que votre esprit vous tienne éveillé durant la nuit ou qu'il accapare de grandes parties de vos journées avec des histoires qui font naître en vous de la culpabilité, de la peur, de la colère, de l'anxiété, de la tristesse, de la déception ou de la détresse ? Vous force-t-il souvent à songer à des histoires de blâme, de ressentiment, d'inquiétude ou de regrets ? Arrive-t-il fréquemment qu'il vous stresse, vous inquiète, vous mette en colère ou vous rende anxieux, rendant votre situation encore plus difficile ?

Si vous répondez à ces trois questions : « Oui, très souvent », cela démontre que vous avez un esprit parfaitement normal. Oui, j'ai bien dit « normal ». C'est ce que les esprits normaux font naturellement. Les philosophies orientales reconnaissent cet état de fait depuis des millénaires, mais, étonnamment, nos traditions occidentales ont toujours choisi de considérer que l'esprit a un comportement anormal lorsqu'il agit ainsi. C'est très regrettable, puisque cela nous contraint à lutter avec notre esprit (ce qui est futile) ou à nous juger sévèrement pour la façon dont nous pensons (ce qui n'est pas moins futile). Je vous encourage donc à considérer les choses sous un autre angle. Voyons notre esprit comme un conteur hors pair qui ne se soucie pas de savoir si ses histoires ont une quelconque utilité : son objectif principal est de capturer notre attention.

Avez-vous déjà vu cette peinture célèbre qui servait autrefois de logo à la compagnie His Master's Voice (La voix de son maître), un label de disque très renommé à son époque ? On y voit un petit chien blanc (prénommé Nipper) se penchant avec une grande fascination vers un vieux gramophone qui joue un enregistrement de la voix de son maître décédé. Nipper est si intrigué par cette voix qu'il se met pratiquement la tête dans le cornet d'amplification du gramophone. Nous sommes un peu comme ce chien : notre esprit nous parle et nous lui accordons toute notre attention. La différence entre le chien et nous, c'est que l'animal perdra rapidement tout intérêt pour la voix qu'il entend, dès lors qu'il comprendra qu'elle n'a rien à lui offrir. Il s'en éloignera et trouvera autre chose de plus intéressant à faire. Lorsqu'il s'agit de notre esprit, cependant, notre intérêt ne diminue généralement *pas*, à l'inverse de celui du chien. Même si nous avons entendu sa rengaine des milliers de fois déjà, et que nous savons qu'elle va encore nous rendre malheureux, nous sommes *encore et toujours* prêts à l'écouter attentivement.

UN ÉPAIS BROUILLARD

Il existe plusieurs façons de parler de cette tendance bien humaine à être « absorbé » ou « plongé » dans ses pensées. Nous utilisons parfois des métaphores comme « il est dans les nuages », « il est perdu dans ses pensées » ou « il est dans la lune » pour décrire ce phénomène. On dit aussi que quelqu'un s'inquiète, rumine, ressasse de vieilles histoires, angoisse, se répète tout le temps les mêmes choses ou est préoccupé.

Somme toute, cette capacité incroyablement précieuse et propre à l'être humain de penser nous laisse souvent dans un épais brouillard, englués dans nos pensées et laissant passer le train de la vie.

Bien sûr, le fait d'être plongé dans le brouillard n'est pas nécessairement une mauvaise chose. La légère brume parfumée des bâtons d'encens peut être relaxante et apaisante. La fumée d'un feu de camp peut être exaltante et agréable. Mais que fait-on lorsque cette fumée devient trop épaisse ? Nous nous mettons à tousser, notre nez coule et nos yeux se remplissent d'eau. À la longue, si nous continuons à respirer toute cette fumée, nos poumons en souffriront.

Dans le même ordre d'idées, il y a des moments et des endroits où le fait d'être absorbé par nos pensées a un effet bénéfique sur notre vie : quand, par exemple, nous rêvassons sur la plage, que nous nous répétons un discours important dans notre tête ou que nous trouvons de nouvelles idées pour un projet. Cependant, la plupart d'entre nous ne parvenons pas à trouver l'équilibre idéal ; nous passons trop de temps à l'intérieur de notre tête et traversons des journées entières la tête plongée dans un épais nuage de *smog psychologique*.

Il n'y a rien qui puisse épaissir ce smog comme un grand fossé de la réalité. Plus l'écart est important entre ce que nous avons et ce que nous voulons, plus notre esprit proteste. Il crée alors un torrent de pensées improductives, et peut tomber dans le déni: «Ce n'est pas possible qu'une telle chose m'arrive!»; se mettre en colère: «Cela n'aurait jamais dû se passer ainsi!»; sombrer dans le désespoir: «Je ne peux pas faire face à cette épreuve. Je ne la surmonterai jamais.» Il peut aussi se tourmenter à propos de l'injustice dont il est victime, comparer notre vie à celle des autres pour y trouver la moindre lacune ou encore imaginer les pires scénarios possibles. Comme je l'ai dit plus tôt, ces schèmes de pensée sont tous parfaitement normaux, mais ils ne sont pas spécialement utiles.

Avant de poursuivre, clarifions quelque chose: *ce ne sont pas nos pensées qui posent problème.* Nos pensées ne créent pas le smog psychologique. C'est *notre façon de réagir* à ces pensées qui le crée.

Nos pensées ne sont rien de plus que des images et des mots dans notre tête. Ne vous contentez pas de me croire sur parole: vérifiez par vous-même. Cessez de lire, fermez les yeux pendant une minute et observez vos pensées. Tentez de voir où elles semblent se trouver, si elles se déplacent ou si elles demeurent immobiles, ou si elles ressemblent plutôt à des images, à des sons ou à des mots. (Votre esprit peut faire le timide lorsque vous accomplissez cet exercice; vos pensées disparaissent et refusent de montrer le bout de leur nez. Si cela se produit, remarquez simplement ce vide et le silence qui remplit votre tête, et attendez patiemment. Tôt ou tard, votre esprit va se remettre à tourner, ne serait-ce que pour dire: «Je n'ai aucune pensée du tout!»)

■ ■ ■

Qu'avez-vous observé? Si votre esprit est demeuré vide au départ, vous aurez remarqué un espace vacant et un grand silence, jusqu'à ce que des pensées finissent par surgir. Elles étaient sans doute composées de mots, d'images ou d'une combinaison des deux. (Si vous avez senti une sensation ou une émotion dans votre corps, ce n'est rien d'autre que cela: une *sensation* ou un *sentiment*. Ne confondez pas ces choses avec des *pensées*.)

Si nous permettons à ces mots et à ces images d'aller et venir librement, pour voleter dans notre conscience comme les oiseaux dans le ciel, elles ne créent aucun problème. Mais quand nous nous agrippons à elles et que nous refusons de les laisser partir (c'est là qu'elles se transforment en smog), elles nous font sortir de notre vie.

Lorsque nous sommes perdus dans cet épais brouillard, les détails s'estompent et la richesse se perd. La fumée nous empêche de goûter la douceur. L'amour de notre vie ou le plus beau spectacle jamais présenté sur cette terre pourrait être juste de l'autre côté de ce smog que nous n'en aurions même pas conscience.

Si vous avez déjà côtoyé une personne qui était sérieusement déprimée (peut-être vous-même à un certain moment de votre vie), vous savez à quel point ce brouillard peut être impénétrable. Dans notre société, les personnes déprimées ont habituellement autour d'elles de nombreuses ressources qui peuvent leur permettre d'améliorer et d'enrichir leur vie, mais elles sont incapables de les voir, tant elles sont étouffées par le smog du désespoir. (Ce n'est pas toujours le cas, évidemment, mais c'est bien souvent ce qui se produit.)

Je vais vous donner un exemple personnel. Un soir, environ deux semaines après le diagnostic de mon fils, j'ai pris ma voiture pour me rendre à la plage afin de faire le vide dans ma tête. En conduisant, j'ai commencé à imaginer ce que serait la vie de mon petit garçon. Mon esprit a échafaudé toutes sortes de scénarios terrifiants où se mêlaient le retard mental, le rejet, les moqueries, l'intimidation, la victimisation, l'isolement et la perspective de devenir l'une de ces personnes que la société oublie. Quand j'ai posé le pied sur le sable, je vivais un véritable cauchemar. Alors que je marchais le long de la plage, ce sentiment ne faisait qu'empirer. Après environ une demi-heure de pure détresse, j'ai soudain eu le souffle coupé. Je me suis arrêté net, et j'ai regardé en silence le coucher de soleil le plus magnifique qu'il m'ait jamais été donné de voir. Le soleil disparaissait derrière l'horizon, et le ciel semblait en feu, tel un volcan en éruption : des nuages d'un rouge écarlate se mêlaient à des reflets pourpres, dorés et orangés. Je suis resté là à admirer le spectacle pendant plusieurs minutes, sans dire un mot, incapable de croire que j'avais pu manquer cette transformation.

Il existe plusieurs autres formes de brouillard. Lorsque nous sommes plongés dans l'un d'eux, non seulement nous manquons ce qui se passe autour de nous, mais nous naviguons à l'aveuglette ; plus le brouillard est épais, plus il devient difficile de suivre notre chemin, d'éviter les obstacles et de surmonter les épreuves. Dans la thérapie ACT, nous avons un terme technique pour décrire un tel état: la *fusion*. À l'image des feuilles de métal fondues qui fusionnent, nous fusionnons avec nos pensées. Dans cet état de fusion, nos pensées ont un énorme impact sur nous; nous pouvons croire qu'elles sont la vérité absolue, des commandements auxquels nous devons obéir, des menaces que nous devons éliminer ou quelque chose à quoi nous devons accorder toute notre attention.

Cependant, lorsque nous *défusionnons* d'avec nos pensées, elles perdent tout pouvoir sur nous. La *défusion* signifie que nous nous séparons de nos pensées pour les voir telles qu'elles sont réellement: rien de plus que des mots et des images. Quand nous sommes dans un état de défusion, nos pensées peuvent être vraies ou non; cela n'importe guère, puisque nous n'avons pas à leur obéir, à leur accorder toute notre attention ou à les considérer comme une menace. Dans cet état de défusion, nous prenons simplement du recul par rapport à nos pensées, et nous nous dissocions d'elles. Nous les voyons comme ce qu'elles sont vraiment – des mots et des images – et nous les laissons de côté. Nous relâchons notre emprise sur elles et leur permettons de venir, de rester et de partir à leur guise.

Bien sûr, si nos pensées sont *utiles* – si elles nous aident à être bons et compatissants envers nous-mêmes, si elles nous aident à clarifier nos valeurs, à faire des plans efficaces ou à prendre des mesures qui nous permettent d'enrichir et d'améliorer concrètement notre vie –, nous pouvons alors en faire un bon usage. Nous ne les laissons pas nous *contrôler*, mais nous les laissons certainement nous *guider*. Lorsque nous adoptons une telle approche, nous ne nous soucions guère de la validité de nos pensées: la seule chose qui nous intéresse, c'est de savoir si elles nous sont utiles ou non. Si nous nous accrochons à ces pensées trop fermement, que nous nous y perdons, que nous les laissons nous bousculer et nous dicter ce que nous devons faire, comment pourraient-elles nous *aider* à nous adapter à notre situation, à en tirer le maximum et à nous comporter comme la personne que nous souhaitons être? Si nos pensées sont utiles, nous les *utilisons*, et si elles ne le sont pas, nous *défusionnons*.

L'ART DE REMARQUER

Vous savez déjà en quoi consiste la première étape de la défusion : remarquer. Dès l'instant où nous remarquons que nous nageons en plein brouillard, celui-ci commence à se dissiper. Lorsque nous sommes en parfaite fusion avec nos pensées, nous ne sommes même pas conscients que nous pensons. La différence entre le *vrai* smog et le smog psychologique, c'est que quand nous nous retrouvons dans de la *vraie* fumée, nous ne pouvons faire autrement que d'en être conscients. L'air est difficile à respirer, nous n'y voyons rien et nous ne pouvons pas nous déplacer normalement. Cependant, quand nous sommes pris dans le smog psychologique, la plupart du temps, nous ne nous en rendons même pas compte. Ainsi, nous pouvons parfois passer des heures à nous inquiéter, à éprouver du ressentiment ou à analyser nos problèmes. (Vous est-il déjà arrivé d'aller faire un tour en voiture et de constater à l'arrivée que vous n'avez gardé aucun souvenir du trajet ? Ou d'avoir terminé la lecture d'une page en étant incapable de vous rappeler son contenu ?)

La première étape de la défusion est donc de *remarquer* que nous sommes dans un état de fusion, c'est-à-dire que nous sommes pris dans nos pensées, ou préoccupés par elles. C'est un peu comme quand nous croisons notre reflet dans un miroir et que nous sommes surpris de notre apparence ; ou comme quand nous nous apercevons brutalement, au beau milieu d'une conversation, que nous n'avons pas du tout écouté ce que disait notre interlocuteur et que nous n'avons aucune idée de ce dont il parle. Nous retrouvons aussitôt notre attention, comme si nous avions reçu une légère décharge électrique ou que nous nous réveillions soudainement après nous être assoupis.

Dès que nous remarquons que nous sommes dans un état de fusion, nous devons absolument défusionner, ou revenir dans le moment présent et sortir de l'état de transe dans lequel nous nous trouvons. La défusion ne se résume pas à cela, bien sûr – et nous verrons ses autres facettes dans la suite de ce livre –, mais le simple fait de remarquer notre état de fusion constitue invariablement la première étape de ce processus. Je vous invite donc à vous exercer à le faire tout au long de la journée pour voir combien de fois vous vous prendrez sur le fait. Essayez de déterminer à quel moment et à quel endroit vous êtes le plus susceptible de vous perdre dans le smog : dans votre voiture, à vélo, au travail, après les repas, lorsque vous jouez avec les enfants, lorsque vous êtes couché dans votre lit, lorsque vous prenez une douche ou lorsque vous parlez à votre partenaire ? Tentez aussi de découvrir ce qui alimente le smog dans lequel vous vous perdez le plus souvent. Est-ce l'inquiétude, le ressentiment, la rêverie, le blâme, l'autocritique, la poursuite de chimères, les problèmes que vous ressassez, des choses difficiles de votre passé que vous revivez sans cesse, les horribles scénarios que vous imaginez ou la conviction que votre vie est terminée ?

Remarquez également le type d'événements qui déclenchent un smog : une dispute, un chauffard qui vous coupe la route, un rejet, un échec, un acte déloyal ou méprisant, un délai serré, une occasion en or, une expression particulière sur le visage de votre interlocuteur, une remarque provocante, une bonne nouvelle, une mauvaise nouvelle, une chanson, un film, une photo ou l'évocation d'un être cher ?

Finalement, une fois que vous êtes sorti du brouillard, remarquez où vous êtes et ce que vous faites, et prenez le temps de noter à côté de quoi vous auriez pu passer.

La plupart d'entre nous sommes surpris lorsque nous commençons à nous rendre compte du temps effarant que nous passons dans le smog. Malheureusement, notre esprit essaie souvent de nous culpabiliser à ce sujet : « Je n'arrive pas à le croire. Je l'ai encore fait. Mais qu'est-ce qui cloche chez moi ? Pourquoi est-ce que je continue à faire cela encore et encore ? Pourquoi est-ce que je ne parviens pas à me sortir de là plus tôt ? » Si nous ne faisons pas attention, nous pouvons alors entrer en fusion avec un ensemble de pensées tournant autour du fait que nous ne devrions justement pas être dans un état de fusion ! Peut-être vaut-il mieux en rire. Peut-être vaut-il mieux sourire silencieusement en reconnaissant qu'au fond, nous ne sommes peut-être pas si différents de ce petit chien blanc qui était captivé par l'enregistrement de la voix de son maître…

CHAPITRE 6
Interrompre le film

Dans *Hamlet*, William Shakespeare dit : « Rien n'est en soi bon ou mauvais, la pensée le rend tel. » Il s'agit là d'une idée qui est partagée par plusieurs types de psychologie populaire et selon laquelle nos pensées pourraient, d'une certaine façon, rendre les choses bonnes ou mauvaises. Cela explique pourquoi tant d'approches encouragent les gens à lutter contre la voix qui est dans leur tête. Elles leur enjoignent d'affronter leurs pensées *négatives*, de les remettre en question et de les remplacer par des pensées *positives*. C'est certainement une proposition qui a le mérite d'être séduisante ! Cela plaît à notre bon sens : il suffirait d'écraser les *mauvaises* pensées pour les remplacer par de *bonnes* pensées. Le problème, cependant, c'est que si nous commençons une guerre contre nos propres pensées, nous sommes sûrs de ne jamais la gagner. Pourquoi ? Parce que nous produisons une quantité infinie de ces pensées dites *négatives*, et qu'aucun être humain n'a jamais réussi à les éliminer toutes.

Les maîtres du zen, qui sont considérés comme des champions olympiques de l'entraînement de l'esprit, ne le savent que trop bien. Une histoire zen raconte la discussion suivante entre un jeune moine et son abbé : « Comment puis-je trouver le grand maître zen de la région ? » demande le jeune homme. « Cherche l'homme qui prétend avoir éliminé toutes ses pensées négatives, répond l'abbé. Une fois que tu l'auras trouvé... tu sauras que ce n'est pas lui ! »

Évidemment, il est possible d'apprendre à penser de façon plus positive, mais cela n'empêchera pas notre esprit de continuer de produire toutes sortes d'histoires douloureuses et contre-productives. Pourquoi en est-il ainsi? Parce qu'apprendre à penser de façon plus positive s'apparente à l'apprentissage d'une nouvelle langue; si vous apprenez à parler le swahili, vous n'oublierez pas instantanément que vous parlez aussi le français.

C'est donc dire que si notre seule façon de faire face à ces histoires *négatives* est de les combattre – en les remettant en question afin de déterminer si elles sont vraies ou fausses et en essayant de les repousser, de les supprimer, de les occulter, de penser à autre chose ou de les noyer sous des vagues de pensées positives –, nous nous condamnons à souffrir inutilement. Pourquoi? Parce que toutes ces stratégies populaires qui font appel au proverbial *bon sens* nécessitent une quantité inouïe de temps, d'efforts et d'énergie, alors que, pour la majorité des gens, elles ne produisent pas de résultats satisfaisants à long terme. Ces pensées pourraient bien disparaître pour un moment, mais, à l'image des zombies dans les films d'horreur, elles finiront inévitablement par ressurgir.

Il existe cependant une approche différente qui est généralement beaucoup plus utile. Nous pouvons apprendre à nous séparer de nos pensées, à nous en *détacher* ou à nous en *décrocher*. Nous pouvons apprendre à les laisser aller et venir, comme s'il s'agissait de voitures passant devant notre maison. Si vous êtes près d'une route en ce moment, ouvrez vos oreilles et tentez de voir si vous pouvez entendre le bruit de la circulation. À certains moments, il y a beaucoup de voitures et, à d'autres moments, il y en a très peu. Que se passe-t-il, en revanche, si nous essayons de faire cesser la circulation? Est-ce seulement possible? Pouvons-nous souhaiter qu'elle disparaisse comme par magie? Qu'arrive-t-il si nous choisissons de nous mettre en colère contre la circulation; si nous faisons les cent pas près d'un bouchon en râlant et en protestant à grands cris? Est-ce que cela nous aide à mieux vivre avec la circulation? Ne serait-il pas beaucoup plus facile de laisser les voitures aller et venir, et de consacrer notre énergie à quelque chose de plus utile?

Imaginez maintenant qu'une vieille voiture très bruyante passe lentement devant votre maison, son moteur vrombissant, son pot d'échappement pétaradant et son autoradio crachant des sons lourds et rythmiques. Vous jetez un coup d'œil par la fenêtre pour constater que le véhicule est couvert de rouille et de graffitis, et que des jeunes se trouvent à l'intérieur, chantant à tue-tête et criant des obscénités. Quelle serait alors la meilleure chose à faire ? Sortir de la maison en criant à la voiture : « Va-t'en ! Tu n'as pas le droit d'être ici ! » ? Vous pourriez aussi faire le guet dans la rue durant toute la nuit, à l'affût du moindre mouvement, pour vous assurer qu'elle ne reviendra plus. À moins que vous n'essayiez de garder ce type de véhicule à l'écart en demandant à l'univers de ne laisser passer que de jolies voitures devant votre maison ?

La chose la plus simple et la plus facile serait bien sûr de laisser cette voiture aller et venir, en reconnaissant sa présence et en lui permettant de circuler à sa guise. La même stratégie s'applique pour nos pensées. Avec un peu d'entraînement, nous pouvons apprendre à reconnaître les pensées qui sont présentes en nous et à les laisser aller et venir à leur rythme, sans ressentir le besoin de s'y engager davantage ou de les remettre en question.

Cette capacité de nous séparer de nos pensées est essentielle pour atteindre la pleine conscience. J'ai mentionné dans le dernier chapitre que, dans la thérapie ACT, on appelle ce processus la *défusion*. La première étape de la défusion consiste à *remarquer* que nous sommes absorbés par nos pensées. Si vous avez déjà essayé de faire cet exercice, vous avez constaté que ce n'est pas aussi facile qu'il n'y paraît. Le problème, c'est que notre esprit est particulièrement doué pour nous embarquer dans ses histoires. Vous savez à quel point il peut être difficile d'interrompre la lecture d'un roman passionnant ou d'arrêter de regarder un film au beau milieu d'une scène d'action enlevante ; il arrive souvent que nos histoires soient tout aussi prenantes. En fait, je compare l'esprit à un grand hypnotiseur qui parviendrait à nous faire entrer en transe au moyen de ses seules paroles. Or, il peut être extrêmement difficile de briser cet état de transe. En revanche, comme pour toute nouvelle compétence que nous désirons acquérir, plus nous nous exerçons, plus nous la maîtrisons – et, avec le temps, cet exercice deviendra plus facile. Particulièrement si vous suivez les conseils que je donne dans ce chapitre.

Commençons par examiner cette première étape de plus près : remarquer ses pensées. Lorsque nous faisons cet exercice, nous cherchons à remarquer deux choses à la fois :

- ce que fait notre esprit ;
- comment nous réagissons à ce qu'il fait.

En d'autres mots, nous essayons de remarquer les pensées qui nous passent par la tête et de voir à quel point nous sommes fusionnés ou défusionnés avec elles. Cependant, il est important de noter qu'il n'existe pas deux états distincts : nous ne pouvons pas être en parfaite fusion ou en parfaite défusion avec nos pensées. Ces états mentaux sont en fait comme des échelles de couleurs : il n'y a pas de blanc ou de noir, mais plutôt une multitude de nuances de gris. Nous pouvons être très fusionnés ou peu fusionnés, comme nous pouvons être extrêmement défusionnés ou légèrement défusionnés. En règle générale, moins une pensée a d'impact et d'influence sur nous, plus nous sommes défusionnés. À l'inverse, plus une pensée a d'impact et d'influence sur nous, plus nous sommes fusionnés.

Lorsque vous prenez quelques instants pour remarquer ce que fait votre esprit et la manière dont vous y réagissez, c'est un peu comme quand vous interrompez la lecture d'un film sur votre lecteur DVD. Vous faites une pause dans l'histoire et vous pouvez par conséquent reprendre contact avec votre environnement et faire ce que vous avez à faire. Malheureusement, cette analogie ne tient pas la route si nous l'examinons de plus près. Quand nous mettons un film sur pause, l'image demeure figée aussi longtemps que nous le souhaitons. Lorsque nous faisons la même chose avec notre esprit, nos pensées demeurent figées pour une fraction de seconde, puis le flot de mots et d'images reprend son cours. N'empêche, je suis sûr que vous comprenez où je veux en venir : quand nous interrompons un film, nous ne sommes plus *dans* l'histoire ; nous pouvons prendre un peu de recul et voir l'histoire pour ce qu'elle est vraiment : rien de plus que des sons et des images sur un écran. C'est exactement ce qui

se produit lorsque nous interrompons notre esprit momentané-
ment pour prendre conscience de ce qu'il fait.

Prêtons-nous au jeu, maintenant. Quand vous atteindrez la
fin de ce paragraphe, posez le livre, faites une pause d'environ
trente secondes et remarquez – avec curiosité – ce que fait votre
esprit. Devient-il silencieux? Génère-t-il de nouveaux mots et de
nouvelles images? Est-ce qu'il proteste en vous disant: «C'est
ridicule!» ou «Il n'y a rien à voir!»?

■ ■ ■

Alors, est-ce que votre esprit avait quelque chose à dire, ou est-ce
qu'il s'est tu? Si vos pensées se sont arrêtées, estimez-vous chanceux; les moments sans pensées sont précieux et vous devez en
profiter! Le plus souvent, cependant, quand nous faisons une
pause pour voir ce que fait notre esprit, nous constatons qu'il est
très actif. Une fois que nous avons pris connaissance de cette activité, l'étape suivante de la défusion consiste à *nommer* nos pensées. Nous pourrions par exemple nous dire en silence: «Pensée».
Nommer le processus de «pensée» nous aide à nous séparer
quelque peu de tous ces mots; nous pouvons alors prendre du
recul et regarder cela avec une certaine distance.

La «pensée» est un terme général qui couvre assez bien
toutes les activités de notre esprit, mais il est parfois utile d'être
un peu plus précis. Par exemple, lorsque nous remarquons que
nous sommes empêtrés dans nos idées noires et que nous pensons sans cesse à ce qui pourrait mal tourner, nous pouvons
parler d'«inquiétude». De même, si nous ressassons de vieux
griefs ou que nous évoquons toutes les fois où les autres ont pu
nous faire du mal, nous pouvons alors parler de «blâme» ou
de «ressentiment». Si nous sommes perdus dans nos fantasmes, nous pouvons utiliser le terme «rêverie». Si nous pensons à nos problèmes encore et encore, sans trouver de solution,
nous pouvons dire que nous «ruminons». Si nous revivons des
souvenirs douloureux, nous pouvons dire que nous nous
«souvenons».

Quand nous nommons nos pensées après les avoir remar-
quées, nous créons en général une plus grande distance entre

elles et nous. Imaginez que vous vous réveillez effrayé après un mauvais rêve. En premier lieu, vous remarquez que vous êtes éveillé et que vous vous trouvez dans votre chambre. Puis vous nommez cette expérience : « Ce n'était qu'un mauvais rêve. » En agissant ainsi, vous vous réveillez un peu plus ; le rêve paraît déjà plus loin et vous savez que la réalité se trouve dans votre chambre.

N'oublions pas que nous n'avons pas besoin d'être absolument sérieux dans tout ce processus. Nous pouvons nommer nos émotions de toutes sortes de façons amusantes ou imagées si tel est notre désir. Nous pouvons par exemple nous dire, avec humour : « Oups ! Je me suis encore perdu dans le smog ! » « Merci, l'esprit, c'était vraiment une histoire intéressante ! » « *Encore* cette vieille rengaine, vraiment ? » Nous pouvons appeler l'esprit « la machine à histoires » ou « l'heure du conte », ou encore lui indiquer gentiment : « Oh, mais j'ai déjà entendu cette histoire, l'ami ! »

Lorsque nous répondons à nos pensées de cette façon, nous ne cherchons pas à savoir si elles sont vraies ou fausses. Nous nous demandons plutôt : « Ces pensées sont-elles utiles ou non ? Si je m'accroche à cette histoire, si je m'y perds ou que je la laisse me bousculer et me dire quoi faire, est-ce que cela va m'aider à devenir la personne que je veux être, ou à faire les choses que je veux faire ? Est-ce que cela va m'aider à m'adapter à ma situation ou à l'améliorer ? »

Si la réponse à ces questions est « non », alors il est préférable de prendre un peu de recul et de nous libérer de l'emprise de l'histoire, en faisant une pause, en la remarquant et en la nommant. Nous pouvons ainsi lui accorder l'attention qu'elle mérite et la voir pour ce qu'elle est vraiment : une séquence d'images et de mots qui passent.

Vous pouvez même aller plus loin avec l'idée de *nommer l'histoire*. Imaginez que vous êtes en train d'écrire un livre ou de tourner un documentaire sur le fossé de la réalité auquel vous faites face actuellement, et que vous voulez y mettre toutes vos pensées douloureuses, tous vos sentiments et tous vos souvenirs. Vous lui donnerez un titre commençant par « L'histoire… », par exemple « L'histoire de ma vie qui est finie » ou « L'histoire du vieillard solitaire ». Votre titre doit :

- résumer votre problème;
- reconnaître que ce problème a été la source de beaucoup de souffrance dans votre vie.

Cela peut être un titre qui banalise le problème ou qui le tourne en dérision. Vous pouvez aussi choisir un titre humoristique, mais vous devez éviter que votre titre ne présente votre problème comme une source d'humiliation ou comme quelque chose que vous avez monté en épingle. (Par conséquent, si vous avez choisi un titre qui vous donne le sentiment d'être dénigré, rabaissé ou humilié, vous devez le changer.) Lorsque vous avez choisi un titre qui vous convient, utilisez-le pour faciliter le processus de désignation : chaque fois qu'une pensée, un sentiment ou un souvenir relié au fossé auquel vous faites face surgit, remarquez-le et nommez-le. Vous pourriez par exemple dire : « Ah ! La voilà qui revient encore, cette fameuse "histoire de l'homme qui n'allait pas au bout de ses rêves". »

Il y a quelques années de cela, une psychologue d'âge moyen, que nous appellerons Naomi, a fréquenté l'un de mes séminaires. Durant la pause du matin, elle m'a confié qu'elle avait une tumeur maligne au cerveau. Elle avait essayé tous les traitements médicaux possibles, ainsi que plusieurs méthodes de guérison alternatives (comme la méditation, la prière, la guérison spirituelle, les herbes médicinales, la visualisation créative, la pensée positive, l'homéopathie, divers régimes alimentaires et l'autohypnose), mais sa tumeur était malheureusement incurable et Naomi n'avait plus beaucoup de temps à vivre. Elle m'a avoué qu'elle avait de la difficulté à garder sa concentration durant l'atelier. Elle était constamment happée par des pensées morbides. Elle pensait à ses proches et à la façon dont ils réagiraient à sa mort, revoyait les résultats de ses tests d'imagerie par résonance magnétique, et imaginait sa tumeur qui se répandait lentement mais sûrement dans son cerveau, ne pouvant s'empêcher de penser, encore et toujours, à la progression de sa maladie, qui la mènerait inévitablement de la paralysie au coma, puis à la mort.

Si, comme Naomi, nous sommes atteints d'une maladie mortelle, il est souvent utile de penser à tout ce que cela peut impliquer : nous devrons réfléchir à ce que nous mettrons dans notre testament, au genre de funérailles que nous souhaitons avoir, à ce que nous aimerions dire à nos proches et au type de soins de santé que nous désirons recevoir. Cependant, si vous avez fait le choix d'assister à un atelier sur la croissance personnelle, il n'est certainement pas utile de fusionner avec ces pensées à ce moment précis. Vous manqueriez alors l'ensemble de l'atelier auquel vous vous êtes inscrit. J'ai donc écouté Naomi avec attention, puis, après avoir reconnu l'étendue de sa peine et lui avoir témoigné ma compassion, j'ai reconnu que ce qu'elle vivait était difficile. Je lui ai ensuite proposé de trouver un nom à son histoire. (Si je lui avais suggéré de commencer tout de suite par l'étape de la défusion, Naomi aurait eu toutes les raisons de sentir que je ne prenais pas sa peine suffisamment au sérieux et d'en être choquée. J'aurais alors essayé de la *réparer*, de la *sauver* ou de la *guérir* avant même d'avoir essayé de la comprendre ou de prendre la pleine mesure de sa douleur et de ses difficultés.) Naomi a donc choisi le titre « L'histoire de la mort qui fait peur ».

Je lui ai ensuite demandé de s'exercer à nommer cette histoire dès qu'elle la sentirait venir, ou dès qu'elle constaterait qu'elle avait pris le contrôle de ses pensées. Elle s'est prêtée à l'exercice avec enthousiasme et, à la pause de midi de la deuxième journée, elle était pratiquement défusionnée d'avec toutes ces pensées morbides. Les pensées n'avaient pas perdu leur crédibilité pour autant (elle considérait toujours qu'elles étaient vraies), mais Naomi était maintenant capable de les laisser aller et venir comme des voitures circulant dans la rue, en consacrant toute son attention à l'atelier.

Remarquer et nommer nos pensées suffit généralement à nous libérer de leur emprise. Ce n'est pas toujours le cas, toutefois ; nous avons parfois besoin d'ajouter une troisième étape au processus de défusion, que j'appelle la *neutralisation*. En gros, cela signifie que nous devons faire quelque chose à nos pensées pour *neutraliser* le pouvoir qu'elles exercent sur nous. Cette action nous aide à voir leur vraie nature et à reconnaître qu'elles ne sont ni plus ni moins que des mots et des images.

Parmi les techniques de neutralisation les plus populaires, mentionnons les suivantes : se chanter ses pensées silencieusement sur l'air de chansons populaires, se répéter ses pensées en prenant différentes voix, dessiner ses pensées dans des bulles de pensées, les visualiser sur un écran d'ordinateur, s'imaginer qu'elles sont prononcées par des personnages de dessin animé ou par des figures historiques et bien d'autres stratégies encore. Vous trouverez plusieurs de ces exercices à l'annexe 1. Si vous sentez que vous avez besoin d'aide supplémentaire pour parvenir à la défusion, consultez cette section avant de poursuivre votre lecture.

Nous ne pouvons pas empêcher la petite voix qui est dans notre tête de nous raconter des histoires, mais nous pouvons la prendre sur le fait. Nous pouvons choisir la façon dont nous réagissons à ces histoires : en laissant les plus utiles d'entre elles nous guider et en laissant les moins utiles aller et venir comme les feuilles mortes qui sont emportées par la brise d'automne.

CHAPITRE 7
Vivre et laisser aller

À travers l'histoire, les hommes ont établi un lien étroit entre la respiration et la spiritualité. Par exemple, les mots «esprit» et «inspirer» viennent tous deux du mot latin «*spiritus*», qui a deux significations : «âme» et «respiration». De même, en hébreu, le mot «*ruah*» est couramment utilisé pour dire «vent» ou «souffle», mais il signifie également «âme». Les Grecs utilisaient eux aussi un même mot pour ces deux concepts : «*psyche*» (duquel sont dérivés des mots comme «psychologie» ou «psychiatrie»), qui veut dire «âme», «esprit», «souffle de vie».

Dans l'Ancien Testament de la Bible, on raconte que Dieu a créé l'homme avec la poussière de la terre, et qu'il lui a insufflé le souffle de vie dans les narines. Les anciens Grecs croyaient que l'homme avait été façonné avec de la boue par le dieu Prométhée, avant que la déesse Athéna ne lui insuffle la vie. Dans les branches contemplatives ou mystiques des religions les plus répandues sur la Terre (le christianisme, l'islam, le bouddhisme, l'hindouisme, le sikhisme, le judaïsme et le taoïsme), on trouve différents exercices de respiration destinés à aider l'homme à atteindre un état de conscience plus élevé, ou à faire l'expérience directe du divin.

Comment peut-on expliquer cette connexion si étroite entre la respiration et la spiritualité? Plusieurs facteurs permettent d'envisager une réponse. D'abord et avant tout, il existe un lien évident entre la respiration et la vie. Tant et aussi longtemps que vous respirez, vous êtes en vie, ce qui signifie qu'il y a toujours quelque chose d'utile que vous pouvez faire. Par ailleurs, les exercices de respiration sont souvent très apaisants et relaxants. Ils peuvent nous aider à atteindre un sentiment de paix intérieure, c'est-à-dire un état de calme et de sécurité au milieu de la tempête émotionnelle qui fait parfois rage en nous. La possibilité d'utiliser notre respiration pour nous ancrer fermement dans le moment présent constitue un troisième facteur à considérer. Lorsque nous sommes empêtrés dans nos pensées et nos sentiments, nous pouvons nous concentrer sur notre respiration afin de faire le point et de nous extirper de ce tourment pour revenir *ici et maintenant* et vivre pleinement l'expérience du moment présent.

Un quatrième facteur peut expliquer l'importance de la respiration. En quelque sorte, l'acte de respirer est une métaphore parfaite pour l'expression «laisser aller». L'air que nous respirons entre et sort de nous tout au long de la journée et, la plupart du temps, nous n'essayons pas le moins du monde de le contrôler; nous le laissons circuler à sa guise. Or, si nous choisissons de le garder en nous pour une raison ou une autre, nous constatons assez vite que nous ne pouvons pas le retenir très longtemps. Quand nous retenons notre souffle, la tension a tôt fait de monter en nous; la pression augmente rapidement et nous ressentons toutes sortes de sensations déplaisantes dans notre corps. Puis, lorsque nous relâchons notre souffle de nouveau, le sentiment de libération ressenti est aussi instantané que profond.

Dans les prochains chapitres, nous explorerons tous ces facteurs et bien d'autres choses encore, mais, pour le moment, nous nous concentrerons sur la respiration et sur le fait de *laisser aller*. Je vais vous inviter à faire un petit exercice très simple. Vous serez peut-être capable de le faire en lisant, mais il se peut aussi que vous deviez d'abord lire les instructions, puis poser le livre pour vous adonner à l'exercice.

PRENEZ UNE RESPIRATION, RETENEZ-LA, PUIS EXPIREZ

Prenez une grande respiration, puis retenez votre souffle une fois que vos poumons seront remplis d'air.

Retenez votre souffle aussi longtemps que vous le pouvez.

Remarquez comment la pression monte dans votre corps, alors que vous gardez votre souffle enfermé en vous.

Remarquez ce qui se passe dans votre poitrine, votre cou et votre abdomen.

Remarquez comme la tension augmente en vous à mesure que la pression devient plus forte.

Remarquez les sensations nouvelles que vous ressentez dans votre tête, votre cou, vos épaules, votre poitrine et votre abdomen.

Continuez de retenir cette respiration.

Retenez-la encore.

Remarquez comment les sensations s'amplifient en vous et deviennent de plus en plus déplaisantes, et comment votre corps vous enjoint énergiquement d'expirer.

Observez ces sensations physiques comme si vous étiez un enfant curieux qui n'a jamais connu rien de tel auparavant.

Lorsque vous sentez qu'il n'est plus possible de retenir votre souffle un instant de plus, expirez lentement et tout doucement.

Savourez ce moment où vous laissez l'air s'échapper de vos poumons.

Appréciez le plaisir simple d'expirer.

Remarquez comme il est bon de laisser aller.

Remarquez comme la tension a disparu.

Remarquez comme vos poumons se dégonflent et comme vos épaules se relâchent.

Appréciez le simple plaisir que nous ressentons quand nous lâchons prise.

■ ■ ■

Comment avez-vous trouvé cette expérience? Êtes-vous parvenu à l'apprécier? Avez-vous senti un certain apaisement ou une forme de ressourcement? Peut-être avez-vous ressenti une tranquillité et un calme qui étaient bienvenus.

Combien de fois, dans notre vie de tous les jours, nous accrochons-nous ainsi aux choses et refusons-nous obstinément de les laisser aller? Nous nous accrochons à nos vieilles blessures, à nos rancunes et à nos griefs. Nous nous accrochons à nos attitudes malsaines et à nos préjugés. Nous nous accrochons à nos notions de blâme et d'injustice. Nous nous accrochons à des croyances qui nous nuisent ainsi qu'à des échecs lointains et à des souvenirs douloureux. Nous nous accrochons à des attentes irréalistes envers nous-mêmes, envers le monde ou les personnes qui nous entourent. Nous nous accrochons à des histoires dans lesquelles le *bien*, la *justice* et l'*injustice* sont définis de façon arbitraire, même si ces histoires nous poussent à mener des combats inutiles et épuisants contre la réalité.

Qu'arriverait-il si nous étions capables de *laisser aller* plus facilement? Si nous pouvions relâcher notre emprise et cesser de nous accrocher si fermement à des choses qui nous nuisent? Si nous étions capables de nous prendre sur le fait toutes les fois où nous nous complaisons dans l'anxiété, la frustration, la critique, le jugement, le ressentiment ou le blâme? Et si nous pouvions utiliser notre respiration pour nous rappeler l'importance de *laisser aller* et de *lâcher prise*? Quelle influence cela pourrait-il avoir sur nos relations, notre santé et notre vitalité?

Je vous invite maintenant à essayer un autre petit exercice qui est encore plus facile que le précédent.

PRENEZ UNE GRANDE RESPIRATION ET
COMPTEZ JUSQU'À TROIS

Prenez une grande respiration et retenez-la pendant trois secondes.

Expirez ensuite aussi lentement que possible.

Alors que vous laissez ce souffle s'échapper, relâchez vos épaules et sentez vos omoplates glisser dans votre dos.

Remarquez encore une fois ce sentiment de lâcher-prise.

Appréciez le simple plaisir d'expirer l'air.

Remarquez ce que nous ressentons en laissant... aller... notre souffle.

■ ■ ■

Je vous encourage à répéter cet exercice régulièrement au cours de la journée pour voir l'effet qu'il peut avoir sur vous. Essayez de le faire lorsque vous vous accrochez fermement à quelque chose – que ce soit une blessure, un ressentiment ou un grief qui draine votre énergie. Respirez, simplement. Inspirez et expirez. Plusieurs personnes trouvent qu'il est utile de se répéter une phrase en silence en faisant cet exercice, comme : «Je lâche prise.»

Supposons que vous vous repassez le film d'une dispute que vous avez eue avec votre partenaire, que vous repensez aux commentaires désobligeants que vous a faits votre patron au travail, que vous culpabilisez sans cesse à propos de cette fois où vous avez perdu votre sang-froid avec les enfants ou que vous vous dites encore une fois à quel point la vie est injuste envers vous. Une constante se dégage de tous ces exemples : vous vous *accrochez fermement* à un souvenir douloureux. Vous n'avez pas besoin de moi pour savoir que cela n'est pas utile ; cela ne fait qu'augmenter votre stress et vous vider de votre énergie. Lorsque vous vous surprenez en train de vous accrocher à de tels sentiments négatifs, ce que vous devez faire est vraiment très simple : prenez une grande respiration, retenez-la pendant trois secondes et puis, très lentement, laissez-la... partir...

CHAPITRE 8
La troisième voie

A lors que je commençais à écrire ce chapitre, je me trouvais dans un avion où il s'est passé quelque chose de curieux. L'homme qui était assis derrière moi m'a demandé de relever mon siège parce qu'il voulait écrire sur son ordinateur portable et que mon dossier empiétait sur son espace. Je lui ai expliqué que j'étais désolé de lui causer un pareil inconfort, mais que j'avais précisément abaissé mon dossier pour avoir plus d'espace, afin de pouvoir *moi aussi* écrire sur mon ordinateur. Je lui ai suggéré poliment de faire la même chose, mais il n'a pas aimé cette idée et m'a demandé de nouveau de redresser mon dossier. Remarquant qu'il y avait une place libre à côté de lui, je lui ai conseillé de s'asseoir là, où il serait plus à l'aise. « Non merci, m'a-t-il dit. Je veux être assis à côté du hublot. » Je lui ai répondu : « Eh bien, dans ce cas, je suis désolé, mais je veux m'asseoir avec mon dossier incliné et j'en ai parfaitement le droit. » Furieux, l'homme m'a lancé : « Eh bien, dans ce cas, je suppose que je vais devoir me mettre à l'aise moi aussi, non ? » Il s'est alors mis à frapper énergiquement le dossier de mon siège avec ses genoux. Je me suis demandé ce que je devais faire ; cet homme était plus gros, plus jeune, plus agressif et plus fort que moi, et je ne désirais pas envenimer la situation davantage. En même temps, je ne voulais pas non plus le laisser m'intimider jusqu'à ce que je relève mon dossier pour lui faire plaisir. Je me suis donc dit : « Je vais le laisser faire pendant quelques minutes. Après tout, il est probablement beaucoup plus pénible pour lui de donner des coups de genoux dans un dossier que pour moi qui suis de l'autre côté, protégé par le coussin, de les recevoir. S'il ne finit pas par se calmer, j'appellerai l'agent de bord. » Je me suis donc bien rassis sur mon siège, en trouvant une position où je sentais les coups le moins possible, puis j'ai recommencé à écrire sur mon ordinateur.

Pendant la première minute, ses coups répétés étaient passablement agaçants, mais, à mesure que je m'absorbais dans mon écriture, leur effet semblait s'estomper. Quelques minutes plus tard, comme je l'avais prévu, il s'est calmé. Cela ne l'a pas empêché d'envoyer quelques coups bien sentis toutes les deux ou trois minutes, pour être sûr que je n'oublie pas qu'il était encore en colère. Comme le siège à côté de lui était vide, il prenait soin de frapper au bon moment, pour que l'agent de bord ou les autres passagers ne voient pas son petit manège – c'était du moins ce que j'imaginais.

Avec le temps, j'ai commencé à trouver ces élans de colère plutôt amusants. Je me disais que je valais « mieux que lui » ; je le regardais de haut, comme si j'étais supérieur à lui d'une façon ou d'une autre. Je le voyais comme un petit enfant gâté qui faisait une petite crise parce qu'il ne pouvait pas avoir ce qu'il voulait. Après un moment, cependant, j'ai mis ma suffisance de côté en reconnaissant que je pouvais aussi piquer de petites crises de temps à autre. Si je n'avais jamais eu recours à l'agression physique, je me rappelais les nombreuses fois où je m'étais emporté en criant après mes proches et celles où j'avais fait la tête et grogné parce que les choses ne se passaient pas comme je le souhaitais. Je me rappelle la terrible colère que j'ai ressentie lorsque j'ai appris que mon enfant était autiste ; j'étais enragé contre la réalité. Parfois, quand je ne pouvais pas la contenir plus longtemps, je déversais cette colère accumulée sur ma femme, en la critiquant, en la jugeant et en rejetant le blâme sur elle – comme si ce n'était pas déjà assez difficile pour elle ; comme si elle ne souffrait pas au moins autant que moi.

Ne nous arrive-t-il pas à tous d'avoir de telles crises de colère ? Il est facile de juger les autres en disant qu'ils sont immatures, capricieux ou bien trop agressifs, mais, pour dire la vérité, nous avons tous un petit enfant en nous qui veut que les choses se passent comme il le désire et qui agit de façon puérile lorsqu'il n'a pas ce qu'il veut.

Après cette prise de conscience, j'ai réfléchi à ce que nous ressentons quand nous sommes pris dans la colère ou la frustration et à quel point nous pouvons nous sentir mal après coup. Quand nous comprenons combien nous avons mal agi, nous nous sentons coupables, embarrassés ou même *en colère contre nous-mêmes*. C'est à ce moment que j'ai commencé à éprouver de la compassion pour l'homme qui était assis derrière moi. Il était clairement en train de souffrir, et toute cette situation le blessait beaucoup plus qu'elle ne me dérangeait.

Les coups de genoux intermittents ont continué pendant environ vingt minutes avant de cesser complètement. Dix minutes plus tard, quelque chose de merveilleux s'est produit. L'homme a passé sa tête par-dessus mon siège et m'a dit : « Je suis vraiment désolé, mon vieux. Je ne sais pas ce que je faisais. » Sa colère avait totalement disparu et on pouvait lire une véritable douceur et une gentillesse sincère sur son visage. « Je suis vraiment embarrassé. J'ai eu une journée de merde au travail et je me suis défoulé sur vous. Encore une fois, désolé. » Il a alors passé sa main entre les sièges et me l'a tendue pour que je la serre.

« Pas de problème, lui ai-je répondu en serrant sa main chaleureusement. En fait, je vous suis plutôt reconnaissant.

– Qu'est-ce que vous voulez dire par là ? m'a-t-il demandé.

– Eh bien, j'étais justement en train d'écrire à propos de vous dans un livre qui va être publié dans quelques mois… et vous venez de donner une magnifique fin à mon histoire.

– Ah, ben, ça, c'est super ! s'est-il exclamé, le visage radieux. Vraiment super, ça me fait chaud au cœur. »

Ne serait-ce pas fantastique si tous les incidents de ce genre avaient une pareille conclusion ? Cet homme était de toute évidence perdu dans un épais smog psychologique. Remarquez les mots qu'il avait utilisés : « *Je ne sais pas ce que je faisais.* » Quand il est finalement revenu dans le moment présent, il a eu la dignité de reconnaître son erreur et de la réparer. Malheureusement, dans la vie de tous les jours, les histoires ne se terminent pas souvent sur une note aussi positive. C'est en grande partie dû au fait que nous vivons dans une société qui ne nous enseigne pas à réagir à nos émotions fortes de façon efficace. Lorsque nous atteignons l'âge adulte, la plupart d'entre nous ne connaissons que deux façons de gérer les émotions difficiles : en les contrôlant ou en étant contrôlés par elles.

CONTRÔLER OU ÊTRE CONTRÔLÉ

Les enfants, qu'ils soient bébés ou plus vieux, sont en grande partie contrôlés par leurs émotions. La peur, l'angoisse, la tristesse, la culpabilité, la frustration et l'anxiété font partie des émotions qui dominent les enfants et les font agir comme des robots téléguidés. S'ils sont en colère, les enfants poussent des cris, hurlent, donnent des coups ou tapent du pied. S'ils ont peur, ils se cachent, fondent en larmes ou prennent leurs jambes à leur cou. S'ils sont tristes ou déçus, ils boudent, pleurent ou crient.

Heureusement, lorsque nous atteignons l'âge adulte, nous sommes beaucoup moins à la merci de nos sentiments, ce qui est une bonne chose. Nous serions dans un sacré pétrin si nos émotions nous contrôlaient. Imaginez que vous soyez à la merci de vos peurs, de votre colère, de votre tristesse ou de votre culpabilité ; que feriez-vous si ces sentiments vous menaient au doigt et à l'œil comme ils le faisaient quand vous étiez petit ? Votre vie serait alors bien difficile.

Bien sûr, il arrive parfois que nous laissions nos émotions prendre le dessus, comme l'a fait cet homme dans l'avion. Nous perdons alors notre contenance, nous nous laissons emporter par nos peurs, nous sommes submergés par notre peine, écrasés par la culpabilité ou dévorés par une rage intense. Heureusement, cela se produit beaucoup moins souvent que lorsque nous étions des enfants – du moins pour la plupart des gens. Cela s'explique par le fait qu'en grandissant, nous avons appris toutes sortes de stratégies pour contrôler nos émotions.

Nous avons par exemple appris à nous distraire de nos émotions désagréables en occupant notre esprit avec la nourriture, la télévision, la musique, les livres ou les jeux. Au fur et à mesure que nous vieillissons, les distractions se multiplient : l'exercice, le travail, les études, les passe-temps, la religion, les jeux vidéo, les courriels, les jeux de hasard, le sexe, la pornographie, la musique, le sport, la drogue, l'alcool, le jardinage, les promenades avec le chien, la cuisine, la danse, etc.

Nous avons également appris à fuir les sentiments désagréables en évitant les situations dans lesquelles ils sont le plus susceptibles d'apparaître; en d'autres mots, nous avons appris à nous dérober ou à échapper aux personnes, aux endroits, aux activités ou aux tâches qui nous posent problème.

Il y a par ailleurs toutes ces stratégies que nous avons mises au point et qui, par moments, peuvent nous offrir un répit en nous faisant oublier notre douleur émotionnelle. Vous connaissez probablement des douzaines de ces méthodes, comme:

- utiliser une stratégie de résolution de problème constructive;
- écrire des listes;
- envisager la situation d'une autre perspective;
- blâmer les autres ou les critiquer;
- défendre votre position vigoureusement;
- faire des affirmations positives;
- se répéter des phrases inspirantes comme: «Ça va passer» ou «Ce qui ne me tue pas me rend plus fort»;
- banaliser le problème ou prétendre que ce n'est pas important;
- se comparer avec d'autres personnes qui sont dans des situations encore plus difficiles.

Finalement, nous avons découvert que le fait de mettre dans notre corps différentes substances – qu'il s'agisse de chocolat, de crème glacée, de pizza, de pain, de thé, de café, de drogue, d'alcool, de tabac, d'herbes médicinales ou de médicaments – peut nous offrir un répit temporaire lorsque nous souffrons.

Malgré toutes ces stratégies plus ingénieuses les unes que les autres pour contrôler nos émotions, nous continuons de souffrir. Nous ne nous libérons jamais de notre douleur émotionnelle pour bien longtemps. Pensez au plus beau jour de votre vie; combien de temps ces sentiments joyeux et agréables ont-ils duré avant de céder la place à l'anxiété, à la frustration, à la déception et à l'irritation?

Le fait est que, pour vivre une vie humaine complète, nous devons faire l'expérience d'une gamme d'émotions tout aussi complète: nous ne pouvons pas nous contenter de celles qui nous font nous *sentir bien*. Nos sentiments sont comme le temps, ils changent constamment : ils sont très agréables par moments et tout à fait déplaisants à d'autres moments. Que se passerait-il si nous traversions notre vie en pensant : « Nous devrions avoir du beau temps tous les jours de l'année. Il doit y avoir quelque chose de complètement déréglé s'il fait froid ou humide dehors. » Si nous adoptions une pareille attitude, vous vous imaginez bien les difficultés que nous aurions à faire face à la réalité. Notre monde se réduirait à bien peu de chose si nous nous disions : « Je ne peux pas faire les choses que j'aime vraiment ou être la personne que je veux être s'il ne fait pas beau dehors. »

Lorsque nous parlons ainsi du temps, notre discours a l'air bien ridicule. Nous savons que nous n'avons aucun contrôle sur le temps qu'il fait, alors nous n'essayons pas d'en avoir. Nous laissons le temps changer au gré·des jours et des saisons, et nous choisissons notre tenue vestimentaire en conséquence, sans plus. Mais quand il est question de nos émotions, la plupart d'entre nous faisons l'inverse ; nous essayons de toutes nos forces de les contrôler, ce qui en soi est plutôt naturel. Après tout, tout le monde veut se sentir bien et personne ne veut se sentir mal. Nous nous efforçons donc de repousser les sentiments indésirables loin de nous avec des solutions miracles qui prennent la forme d'activités servant à nous remonter le moral. Cette tendance est renforcée par tous ces gens qui prétendent pouvoir nous aider : « Achetez-vous une nouvelle voiture ! » « Partez en vacances ! » « Blanchissez vos dents ! » « Recevez une injection de Botox ! » « Goûtez notre excellent bourbon ! » « Essayez notre délicieux sorbet ! » « Achetez notre produit, et vous pourrez être aussi heureux, beau, en forme, en bonne santé, jeune, mince, bronzé et souriant que l'acteur en vedette dans notre publicité... » Bien sûr, plusieurs de ces choses peuvent nous procurer des sensations agréables, mais combien de temps ces dernières durent-elles ? Au mieux, elles subsisteront quelques minutes ou quelques heures.

Au cours de notre vie, nous faisons tous l'expérience d'émotions intenses et pénibles que nous ne pouvons pas rejeter d'une chiquenaude. Vous avez sans nul doute déjà remarqué que plusieurs des stratégies que nous utilisons pour contrôler nos émotions peuvent détériorer notre qualité de vie à la longue. Cela est particulièrement évident lorsque ces stratégies reposent sur des choses comme la drogue, l'alcool, le tabac, le chocolat ou les jeux de hasard. Cependant, si nous examinons les autres stratégies attentivement, avec une certaine ouverture d'esprit, nous constatons qu'elles sont toutes plus ou moins néfastes quand elles sont utilisées de façon *excessive* ou *trop rigoureuse.*

En effet, même quelque chose d'aussi sain que l'exercice peut devenir problématique si nous le pratiquons de façon *excessive* ou *trop rigoureuse* pour essayer de contrôler nos émotions. Par exemple, certaines personnes qui souffrent d'anorexie font des exercices très vigoureux tous les jours. À court terme, cela les aide à maîtriser leur anxiété – elles peuvent ainsi repousser leur peur de grossir –, mais, à long terme, cela maintient leur corps dans un état de maigreur extrême et maladive. Cela n'a bien sûr rien à voir avec les exercices qu'exécutent avec *flexibilité* les gens ayant simplement pour objectifs le bien-être et la santé.

Souvent, les déceptions et les revers que nous subissons lorsque nous essayons de dompter nos émotions nous poussent à essayer encore plus fort et à chercher des façons plus astucieuses de contrôler la façon dont nous nous sentons. Nous espérons ainsi pouvoir trouver un de ces jours une stratégie infaillible ; une stratégie qui nous permettrait d'exercer un contrôle quasi parfait sur nos émotions. Pourtant, tôt ou tard, nous nous rendons compte qu'il s'agit là d'une cause perdue. Quand je veux expliquer ce phénomène dans mes ateliers ou mes conférences, je demande aux parents qui se trouvent dans la salle de lever la main. Généralement, ils forment les trois quarts de l'auditoire. Je dis : « Avoir un enfant enrichit énormément notre vie et nous procure certains des sentiments les plus merveilleux que l'on puisse ressentir : l'amour, la joie et la tendresse, et ce, à un degré que l'on n'aurait jamais pu imaginer. Mais… est-ce qu'il s'agit là des seuls sentiments que vous donnent les enfants ? »

À ce moment, tous les parents secouent la tête en disant : « Nooooon ! »

Je leur demande alors : « Quels autres sentiments vous inspirent vos enfants ? »

S'ensuit alors une cacophonie de réponses, parmi lesquelles on trouve la peur, la colère, l'épuisement, l'inquiétude, la culpabilité, la tristesse, la peine, la frustration, le rejet, l'ennui et la rage.

En quelques mots, tout est dit : les choses qui enrichissent notre vie, lui donnent du sens et la valorisent peuvent aussi nous inspirer des sentiments très différents... et pas seulement positifs. (Cela est évidemment vrai pour toutes les relations d'amour, et non pas uniquement celles qui nous unissent à nos enfants. Ce n'est pas pour rien que le philosophe Jean-Paul Sartre a écrit : « L'enfer, c'est les autres. »)

Malheureusement, cette prise de conscience peut prendre beaucoup de temps à se faire. Nous avons parfois besoin de lire une centaine de livres de croissance personnelle, de passer vingt ans en thérapie, d'essayer cinq types de médications, de suivre une douzaine de cours sur l'autonomisation, de lutter silencieusement pendant des décennies ou de passer notre vie à demander conseil à différents « experts » avant de vraiment comprendre cette vérité pourtant toute simple : lorsqu'il est question d'émotions difficiles, nous n'avons pas été très bien éduqués par notre société. En grandissant, nous avons appris qu'il n'existait que deux façons d'y réagir : les contrôler ou être contrôlé par elles. S'il s'agissait de nos deux seules options, pourrions-nous un jour trouver l'épanouissement intérieur ?

Certains de mes clients réagissent assez négativement à ces propositions ; ils croient dur comme fer que l'épanouissement entraînera la fin des sentiments douloureux. *Si seulement c'était le cas !* L'épanouissement ne passe pas par la disparition totale de nos émotions difficiles ; il passe plutôt par la modification de la relation que nous entretenons avec ces émotions. Nous trouvons une nouvelle façon de réagir à ces émotions, de sorte que lorsqu'elles apparaissent, elles ne peuvent plus nous arracher au moment présent, nous distraire de nos objectifs et nous empêcher de voir la vie comme un privilège. C'est au milieu de notre douleur que nous apprenons à accéder à un état de paix intérieure, en comprenant enfin comment *créer un espace*, à l'intérieur de nous, où nos sentiments peuvent aller et venir librement sans nous mener par le bout du nez et sans nous abattre. J'utilise le mot «expansion» pour décrire cette capacité. C'est d'ailleurs l'une des trois habiletés essentielles de la présence.

Avant de poursuivre, laissez-moi vous faire une confession. Lorsque j'ai entendu pour la première fois le terme redoutable d'«autisme» pour nommer le trouble de mon enfant, j'ai oublié à peu près tout ce que j'ai décrit dans ce chapitre. J'ai essayé frénétiquement de me distraire en m'absorbant dans les livres et la musique, les films et les émissions de télévision, et j'ai passé un temps fou sur Internet. Mais rien de cela n'a fonctionné. Les idées noires à propos de mon fils revenaient toujours me hanter et m'attiraient vers elles ; j'imaginais le pire, je me faisais du souci. Je voyais mon petit garçon handicapé, rejeté, mis au ban de la société comme un malpropre.

J'ai aussi essayé de m'évader en abusant des biscuits qui m'avaient si souvent remonté le moral par le passé : les délicieux Tim Tam au chocolat. Rien n'y faisait. J'ai bien eu quelques moments de réconfort fugaces en les croquant, mais cette sensation s'évaporait aussitôt que les biscuits étaient finis, pour être remplacée par une douleur qui revenait plus forte de fois en fois – et qui, au passage, s'accompagnait d'un gain de poids non négligeable !

J'ai voulu me changer les idées en étant proactif. J'ai consulté site Web sur site Web avec un appétit vorace, dévorant toutes les informations que je pouvais trouver sur l'autisme et ses traitements, en essayant de séparer études sérieuses et textes bidon. Mais cela ne m'a été d'aucun secours. Pas plus que ne l'ont été mes discussions avec des amis, le refuge éphémère trouvé dans l'alcool, les longues marches, les séances de massage, la pensée positive ou la répétition de citations inspirantes.

Dans des moments comme celui-là, alors que le fossé de la réalité est immense, il n'existe aucun moyen qui puisse nous permettre de contrôler notre douleur ou de la chasser – à moins de se tourner vers une solution radicale comme l'abus de drogue ou d'alcool, qui nuira grandement à votre qualité de vie à long terme et qui ne servira au final qu'à ouvrir de nouveaux fossés. Par ailleurs, si nous laissons notre douleur nous contrôler, nous ne ferons qu'empirer les choses. Notre seul choix sensé est donc de pratiquer l'expansion.

L'EXPANSION

L'expansion est une solution radicalement différente des autres choix qui se présentent à nous (contrôler ou être contrôlé). C'est justement parce qu'elle est si différente qu'il faut souvent un certain temps pour bien la comprendre. Pour avoir une meilleure idée de ce en quoi consiste cette « troisième voie », je vous invite à faire l'expérience suivante.

UNE EXPÉRIENCE EN QUATRE ÉTAPES

Cette expérience comprend quatre étapes, et vous en retirerez des avantages bien plus grands en la *faisant* qu'en vous contentant d'en lire la description.

Première étape : Imaginez que le livre que vous tenez entre vos mains est formé de toutes les émotions que vous avez de la difficulté à gérer.

(Prenez quelques instants pour les nommer.)

Deuxième étape : Lorsque vous atteindrez la fin de ce paragraphe, tenez ce livre grand ouvert en le prenant fermement par les bords. Approchez-le de votre visage jusqu'à ce que votre nez le touche presque en son centre. À ce moment, le livre devrait pratiquement envelopper votre visage et vous cacher totalement la vue. Tenez-le ainsi pendant environ vingt secondes et remarquez ce que vous ressentez.

Qu'avez-vous découvert ? Lorsque vous étiez complètement *pris par vos émotions,* vous êtes-vous senti un peu perdu, désorienté ou isolé du monde qui vous entoure ? Avez-vous senti que vos émotions dominaient tout ? Avez-vous perdu de vue la pièce dans laquelle vous vous trouvez ? Étiez-vous *dévoré* par cette expérience ?

Ce que vous avez ressenti ressemble beaucoup à la façon dont nous nous sentons quand nous sommes contrôlés par nos émotions : nous nous laissons accrocher par elles, nous nous perdons en elles et nous sommes submergés par elles. Elles dominent entièrement notre expérience de la vie. Nous nous vautrons en elles, nous les laissons nous bousculer et nous tirailler intérieurement. Il est alors très difficile d'être présent ou d'affronter de façon efficace les nombreux défis de la vie, puisque toute notre attention est tournée vers nos émotions.

Troisième étape : Imaginez de nouveau que ce livre contient toutes vos émotions les plus difficiles. Lorsque vous atteindrez la fin de ce paragraphe, prenez le livre à deux mains en le tenant fermement par les bords, et éloignez-le de vous autant que possible. Tendez vos bras de façon à tenir le livre aussi loin de vous que vous le pouvez (attention de ne pas vous disloquer les épaules, tout de même !). Assurez-vous que vos coudes sont complètement dépliés et maintenez le livre à bout de bras. Tenez-le ainsi pendant une minute et remarquez ce que vous ressentez.

Avez-vous trouvé cet exercice embarrassant et fatigant ? Imaginez si vous deviez le faire toute la journée ; vous seriez certainement épuisé. Imaginez maintenant que vous deviez regarder votre émission de télévision favorite, tenir une conversation, manger un repas ou faire l'amour en même temps que vous exécutez cet exercice. À quel point cela vous empêcherait-il d'apprécier ces activités ? C'est un peu ce qui se passe quand nous essayons de contrôler nos émotions. Nous consacrons une grande partie de notre énergie à repousser nos sentiments négatifs. Non seulement c'est dérangeant et épuisant, mais cela nous empêche également de vivre dans le moment présent, tellement nous sommes accaparés par cette lutte interne. Lorsque nous essayons de toutes nos forces de contrôler nos émotions, il est extrêmement difficile d'être présent et de relever de façon efficace les défis de la vie.

Quatrième étape : Quand vous atteindrez la fin de ce paragraphe (en imaginant encore une fois que ce livre contient tous vos sentiments les plus douloureux), posez le livre doucement sur vos genoux et laissez-le là pendant vingt secondes. Profitez de ce moment pour vous étirer les bras, pour respirer profondément et pour observer ce qui vous entoure avec la curiosité d'un enfant. Remarquez ce que vous pouvez voir, entendre et sentir.

Il s'agit là de la troisième façon de réagir aux émotions doulou-reuses : leur faire une place, ou permettre l'*expansion*. (Il faut noter que, dans la thérapie ACT, on parle d'*acceptation*, plutôt que d'*expansion*. J'évite toutefois d'utiliser le mot « acceptation » parce que la plupart des gens ne le comprennent pas comme il faut : soit ils croient que cela signifie qu'ils doivent apprécier, désirer ou approuver leurs émotions, soit ils croient qu'ils doivent les tolé-rer, les accepter ou se résigner à les éprouver.) L'*expansion* consiste à s'ouvrir pour créer un espace pour nos émotions ; nous pou-vons alors les laisser aller et venir à leur guise, aussi longtemps ou aussi souvent qu'elles le veulent, sans devoir investir d'énergie dans une lutte futile contre elles ou dans des efforts non moins futiles pour leur échapper.

Avez-vous remarqué qu'il était beaucoup plus facile de poser le livre sur vos genoux que de vous laisser prendre par son contenu ou de le tenir à bout de bras ? Cette façon de faire était infiniment moins fatigante et vous empêchait moins de vous concentrer, n'est-ce pas ? Avez-vous remarqué que lorsque vous vous êtes dégagé du livre, que vous avez cessé de vous battre avec lui et que vous avez simplement créé de l'espace pour lui, vous étiez totalement en contact avec le monde qui vous entoure ?

Quand je leur demande de faire cet exercice, certains de mes clients me rétorquent : « Ce n'est qu'un livre. Ce n'est pas aussi simple avec de vraies émotions. » À cela, je réponds : « Vous avez parfaitement raison. Ce n'est qu'un exercice. »

L'objectif de cet exercice est justement de vous préparer à l'étape suivante : pratiquer l'expansion pour vrai.

CHAPITRE 9
Un regard empreint de curiosité

Une vague de nausée vous envahit. Votre vision devient floue et embrouillée, et, en quelques secondes, vous n'y voyez plus rien du tout. Votre gorge est presque instantanément paralysée, ce qui vous empêche de parler ou d'avaler. Dans les minutes qui suivent, cette paralysie s'étend à l'ensemble de votre corps, jusqu'à ce que vous soyez incapable de respirer. Voilà comment se terminerait votre vie si vous aviez un jour la malchance de vous faire mordre par le petit bec de la pieuvre à anneaux bleus, un animal qui n'est pourtant pas plus gros qu'une balle de tennis.

L'un de mes bons amis, Paddy Spruce, aime poser la question suivante: «Si vous nagiez près d'une pieuvre à anneaux bleus, choisiriez-vous de la prendre dans vos mains, de la chasser, de l'ignorer ou de l'observer, tout simplement?» Certes, toutes ces options s'offrent à nous, mais les deux premières sont mortelles. En effet, même si cette pieuvre n'est pas naturellement agressive, elle vous mordra si vous essayez de l'attraper ou si vous la menacez d'une façon ou d'une autre. (Juste avant qu'elle ne vous attaque, vous pourrez voir les anneaux bleus de ses tentacules s'allumer.) La troisième solution, qui consiste à ignorer la pieuvre, serait plutôt difficile à mettre en pratique, vu le danger mortel que représente la créature. Par ailleurs, si vous ne faites pas attention à la pieuvre, vous ne savez pas où elle se trouve et vous risquez alors de nager droit sur elle.

La dernière option, qui consiste à observer la pieuvre, est donc clairement la meilleure. «Un instant..., pensez-vous peut-être. Il y a une autre possibilité que vous n'avez pas mentionnée. Je pourrais nager dans la direction opposée à l'animal.» Oui, c'est vrai, vous pourriez faire cela. Cependant, la pieuvre à anneaux bleus se cache sous les rochers. Donc, si vous demeurez sur place à l'observer, elle passera vite son chemin et vous laissera tranquille. Et puis, même si vous décidez de nager dans la direction opposée, n'aimeriez-vous pas prendre le temps d'observer cette créature unique auparavant, en sachant qu'elle sera inoffensive tant et aussi longtemps que vous n'essayerez pas de l'attraper ou de la menacer?

Cette petite créature marine constitue une bonne analogie pour les émotions douloureuses : si vous les retenez près de vous, si vous les chassez ou si vous tentez de les ignorer, le résultat sera généralement catastrophique. Malheureusement, beaucoup de gens traitent leurs émotions comme si elles étaient aussi dangereuses que cette pieuvre. Nous voulons nous en débarrasser ou les éviter à tout prix. Nous ne pouvons pas être à l'aise quand elles sont là. Nous essayons de trouver des façons de les faire disparaître. En agissant ainsi, nous gaspillons beaucoup d'énergie et perdons notre vivacité. Pourtant, cette situation est loin d'être inévitable. Pourquoi? Parce que, contrairement à la pieuvre, nos émotions ne sont *pas* dangereuses. Si nous restons calmes et que nous les observons avec curiosité, elles ne peuvent pas nous faire du mal ou nous nuire de quelque façon que ce soit; comme la pieuvre à anneaux bleus, elles finiront tôt ou tard par partir.

Imaginez maintenant que vous êtes un biologiste de la vie aquatique et que vous avez payé une petite fortune pour pouvoir observer la pieuvre à anneaux bleus dans son environnement naturel. Dans de telles circonstances, en sachant que vous seriez en sécurité, vous pourriez observer cette créature avec une fascination absolue. Vous seriez curieux de ses moindres mouvements. Vous remarqueriez les mouvements rythmiques de ses tentacules; vous pourriez admirer les jolis motifs et les couleurs qui couvrent son corps et vous respecteriez cet animal en reconnaissant que c'est une merveille de la nature. En d'autres mots, vous seriez totalement présent. C'est ce type d'attention, qui s'accompagne d'une ouverture d'esprit et d'une saine curiosité, qui est à la base de l'expansion.

Si cela vous semble un peu familier, c'est bien normal, puisque l'expansion constitue en fait l'un des aspects de la présence. En d'autres mots, lorsqu'un sentiment douloureux surgit en vous, vous n'avez pas besoin de vous y accrocher ou d'essayer de le fuir ; vous pouvez simplement être présent avec lui. Si votre esprit a quelque chose à dire à propos de cette idée (une protestation, une menace, une inquiétude, un jugement ou toute autre forme de résistance), laissez-le parler à sa guise et poursuivez votre lecture.

LES PENSÉES, LES SENTIMENTS, LES ÉMOTIONS ET LES SENSATIONS

Comme plusieurs personnes ont du mal à voir la différence qui existe entre les pensées, les sentiments, les émotions et les sensations, il vaut la peine de prendre un moment pour clarifier ces termes. Admettons cependant que cette tâche n'est pas facile, puisque la plupart des *experts* ne parviennent pas à s'entendre sur la réelle définition à donner aux *émotions*. Il y a tout de même certains éléments sur lesquels ils s'entendent. Par exemple, il ne fait aucun doute que les émotions nous préparent à l'action. La tristesse, la colère, la peur, la culpabilité, l'amour et la joie nous prédisposent tous à nous comporter de différentes façons. Par ailleurs, les émotions provoquent des changements neurologiques (cerveau et système nerveux), des changements cardiovasculaires (cœur et système circulatoire) et des changements hormonaux (messagers sanguins).

Or, même s'il est possible de mesurer ces changements à l'aide d'instruments scientifiques, cela ne traduit pas réellement la façon dont nous ressentons nos propres émotions. Lorsque nous étudions nos émotions avec un esprit ouvert et une saine curiosité, nous ne voyons alors que des pensées et des sensations. Quand je parle de *pensées*, je fais référence aux mots et aux images qui sont dans notre tête, alors que les *sensations* sont ce que nous ressentons à l'intérieur de notre corps. Pour ce qui est des *sentiments*, certaines personnes utilisent le terme de façon interchangeable avec *émotions* (comme je le fais moi-même dans ce livre), mais d'autres personnes l'emploient pour décrire les sensations physiques qui sont déclenchées par les émotions (par opposition aux pensées qui font aussi partie de l'émotion elle-même). La meilleure façon de tirer tout cela au clair est de vérifier par vous-même : observez vos émotions avec curiosité. Ce faisant, vous remarquerez soit quelque chose qui s'apparente davantage à des sensations, soit quelque chose qui est plutôt composé de mots et d'images. À moins que vous ne voyiez des tapisseries plus complexes, entrelacées et bigarrées, composées d'images, de mots et de sensations. Vous pourrez alors vous approcher davantage pour observer des sensations ou des pensées spécifiques, ou prendre du recul pour avoir une meilleure vue d'ensemble.

Les émotions suscitent souvent l'idée d'une signification qui nous apparaîtrait soudainement, mais cette *signification* en elle-même n'est qu'une pensée faite de mots et d'images. De fortes envies peuvent aussi accompagner des émotions puissantes, mais si nous étudions attentivement quelque désir que ce soit, nous constatons qu'il ne s'agit que de sensations dans notre corps ainsi que de mots et d'images dans notre tête. La même chose s'applique aux souvenirs : étudiez-les de près et vous découvrirez qu'il s'agit de sensations ressenties dans votre corps et de mots et d'images présents dans votre tête. (Si votre mémoire vous ramène des odeurs ou des goûts, eh bien, ce ne sont encore là que d'autres sensations.)

Pour clarifier tout cela, pensez à votre film favori. Si vous regardiez une seule seconde de ce film, vous ne verriez que des images et n'entendriez que des sons. Personne ne pourrait dire que ces images et ces sons forment un film en soi ; pas plus que nous ne dirions qu'un film n'est rien d'autre qu'une accumulation de sons et d'images. Toutefois, *à titre d'expérience*, lorsque nous regardons une seconde d'un film, il n'y a rien d'autre que des sons et des images. Vous pouvez voir les émotions de façon similaire : une création riche, captivante et multidimensionnelle qui comprend une quantité inouïe de sensations et de pensées qui se coupent et s'entrecoupent.

J'ai récemment discuté de ce concept dans un échange de courriels. Mon correspondant m'a répondu ceci : «Je vois ce que vous voulez dire... mais pourtant... il y a quelque chose d'autre dans les émotions, que l'on ne peut peut-être seulement décrire que comme une saveur ou une couleur... informe, mais en même temps si tranchante! Il s'agit peut-être d'une masse informe, colorée et hérissée de pointes?»

Je lui ai répondu: «Oui, mais voilà: les saveurs sont des sensations (une sensation de goût). Elles peuvent sembler ne pas avoir de forme précise, mais on peut tout de même sentir où elles sont situées dans notre corps en prêtant attention aux sensations de pression, de température, de pulsations, etc. Si vous faites l'expérience d'une couleur, c'est que vous devez "voir" une forme ou une autre d'image – quand bien même s'agirait-il d'une image abstraite, composée de couleurs pures qui n'ont pas de forme précise. Si vous décrivez votre expérience comme "tranchante" ou "hérissée de pointes", c'est que vous avez senti quelque chose d'incisif ou que vous avez songé à l'image de quelque chose de tranchant. C'est donc dire que si vous faites le point et que vous observez n'importe quel aspect précis de cette "masse informe, colorée et hérissée de pointes", vous découvrirez des sensations, des mots et des images. La seule question à se poser alors sera la suivante: serez-vous capable de vous ouvrir pour faire de la place à ce que vous découvrirez?»

Lorsque nous prêtons attention à toutes ces choses menaçantes, déplaisantes ou douloureuses qui sont en nous, c'est-à-dire à toutes ces pensées et à tous ces sentiments desquels nous nous détournons habituellement, et que nous sommes prêts à les examiner avec honnêteté et avec une ouverture d'esprit et une curiosité sincères, nous avons toutes les chances de découvrir quelque chose d'utile. Nous pouvons par exemple apprendre qu'elles ne sont pas aussi grosses que nous le croyions et qu'il est possible de leur faire une place en nous. Nous apprenons qu'elles ne peuvent pas nous faire de mal, même si elles ne sont pas particulièrement plaisantes. Nous apprenons qu'elles ne peuvent pas contrôler nos bras et nos jambes, même si elles nous font parfois frissonner et trembler. Nous apprenons qu'il est inutile d'essayer de les fuir et de s'en cacher ou encore de lutter contre elles. Le temps et l'énergie ainsi libérés seront beaucoup mieux investis dans l'amélioration de notre vie que dans des efforts vains pour essayer de contrôler la façon dont nous nous sentons. Si nous ne faisons pas preuve d'une curiosité sincère, il y a bien peu de chances que nous puissions découvrir tout cela.

Normalement, lorsque des sentiments douloureux surgissent, ils ne suscitent en nous aucune curiosité. Nous n'éprouvons pas le désir de nous en approcher pour les étudier et voir de quoi ils sont composés. Nous ne souhaitons pas en apprendre davantage à leur sujet. En fait, généralement, nous ne voulons rien savoir du tout sur nos sentiments. Nous voulons les oublier, nous distraire pour ne pas avoir conscience de leur présence ou nous en débarrasser aussi rapidement que possible. Plutôt que de les étudier attentivement, nous choisissons instinctivement de regarder ailleurs. Il se passe quelque chose de très semblable quand nous avons un réflexe de recul ou que nous détournons le regard face à un corps malade ou difforme. Pourtant, aussi automatique que soit cette réaction, nous avons le pouvoir de la changer avec un peu d'entraînement.

Étant moi-même médecin, j'ai eu l'occasion de voir divers types de déformations dont peut souffrir le corps humain : cloques causées par des maladies de la peau ; cicatrices laissées par des brûlures ; terribles ravages faits par le cancer et le sida ; articulations tordues ou enflées, conséquence de maladies immunitaires ; perte de membres à la suite d'amputations ; têtes et colonnes vertébrales difformes, conséquence de troubles génétiques rares ; ou encore gonflements abdominaux ou peau jaune caractéristiques des maladies du foie ; sans oublier la myriade de formes de détérioration physique associées à l'âge, à la maladie et à la mort.

Avant d'entrer dans la profession médicale, j'éprouvais un sentiment de choc, de peur ou de dégoût dès que je voyais des gens qui étaient ainsi marqués par la maladie ou un accident. Avec les années, cependant, j'ai peu à peu appris à voir au-delà de leur apparence extérieure déplaisante pour établir des liens avec l'humain qui se trouve à l'intérieur. J'ai appris à prêter attention à ces personnes en leur témoignant de l'affection, de la curiosité et de l'ouverture. Mon aversion et ma peur ont disparu pour céder la place à la compassion et à la sollicitude. Toutefois, je n'y serais jamais arrivé si je n'avais pas eu la volonté d'être présent et de m'ouvrir à la réalité de ces patients ; j'ai dû faire de la place pour mes réactions émotionnelles automatiques à l'intérieur de moi, sans les laisser me contrôler. Lorsque nous en avons la volonté, nous sommes tous capables de faire cette transition.

Nous devons noter ici qu'il existe deux types de curiosité. D'une part, il y a la curiosité froide, détachée et insensible, comme celle que l'on peut voir chez un scientifique qui fait des expériences sur des rats ou des singes en laboratoire. D'autre part, il y a la curiosité attentionnée et chaleureuse, que l'on peut voir par exemple chez un vétérinaire bienveillant qui essaie de comprendre comment soigner un animal malade. Vous avez sans doute déjà rencontré des docteurs qui étaient froids et détachés, et qui ne s'intéressaient qu'à votre maladie. Ils ne se souciaient guère de votre personne, voyant uniquement votre diagnostic et les traitements à recommander. Pour eux, l'être humain qui se cache sous la maladie n'est qu'un numéro, un patient de plus à voir dans leur journée. Et puis, il y a cette autre catégorie de médecins : ceux qui sont bienveillants, gentils et qui montrent une curiosité empreinte de compassion. Ils se soucient d'abord et avant tout de la personne qui souffre : ils traitent ainsi le patient dans son entièreté, et non pas seulement sa maladie.

Par quel type de médecin aimeriez-vous être suivi ?

Le mot « curiosité » tire son origine du terme latin « *curiosus* », qui signifie « attentif » ou « soucieux ». Ce mot est lui-même dérivé du terme « *cura* », qui veut dire « soin ». Je trouve cela fort intéressant. Lorsque nous pratiquons la pleine conscience, nous prenons soin de nous-mêmes : nous nous soucions de ce que nous ressentons, ainsi que de notre façon de réagir à nos sentiments. À l'opposé, éviter nos sentiments constitue bien souvent un acte insensible. Nous sommes à ce point concentrés sur les efforts que nous faisons pour nous débarrasser de nos émotions par quelque moyen que ce soit que nous finissons par nous causer du tort et par réduire notre expérience de la vie. Le mot « *cura* » nous a également donné le mot « cure », bien sûr, et cela semble tout à fait approprié, puisque la curiosité joue un rôle essentiel dans la guérison émotionnelle ; plutôt que d'essayer de fuir notre douleur, nous pouvons la regarder en face, l'examiner, l'explorer et, finalement, lui accorder la place qui lui revient. Il s'agit là d'un véritable acte de guérison et de soins accordés à sa propre personne.

La prochaine fois que vous ressentirez de la solitude, du ressentiment, de la culpabilité, de la tristesse, du regret ou de la peur, que diriez-vous de vous montrer vraiment curieux à l'égard de ces sentiments ? Pourquoi ne les observeriez-vous pas sous un éclairage nouveau, en les étudiant comme s'ils étaient des trésors exposés dans un musée ?

Lorsque nous jetons un regard curieux sur un intense sentiment de stress ou d'inconfort, nous constatons qu'il est composé de deux principaux éléments. Le premier de ces éléments est un scénario : un assemblage de mots et d'images qui se trouvent dans notre tête, composé de croyances, d'idées, de suppositions, de raisonnements, de règles, de jugements, d'impressions, d'interprétations, d'images et de souvenirs. Le second élément est l'ensemble de nos sensations physiques, c'est-à-dire les différentes émotions et sensations que nous éprouvons à l'intérieur de notre corps. Comme nous avons déjà parlé des histoires, nous porterons maintenant notre attention sur nos sensations.

LES SENSATIONS

Afin de mieux comprendre la puissance de vos sensations, je vous invite à penser à une émotion difficile qui a été provoquée par le fossé de la réalité auquel vous faites face actuellement. Une fois en contact avec cette douleur, suivez les exercices suivants étape par étape.

REMARQUEZ VOTRE ÉMOTION

Prenez un moment pour faire une pause.

Vous êtes sur le point d'entreprendre un voyage qui vous mènera de découverte en découverte, et qui vous permettra d'explorer vos émotions douloureuses pour les voir d'un regard nouveau.

Prenez une respiration lente et profonde, et concentrez toute votre attention sur votre corps.

Commencez par le sommet de votre tête, puis étudiez toutes les parties de votre corps jusqu'aux pieds.

Remarquez les endroits dans lesquels votre émotion est la plus forte : votre front, vos yeux, votre mâchoire, votre bouche, votre gorge, votre cou, vos épaules, votre poitrine, votre abdomen, votre bassin, vos fesses, vos bras ou vos jambes ? (Si vous vous sentez engourdi, poursuivez l'exercice, mais en mettant l'accent sur cette sensation d'engourdissement.)

Lorsque vous aurez localisé votre sentiment, observez-le avec une curiosité sincère, comme si vous étiez un biologiste de la vie aquatique venant de rencontrer de nouvelles créatures des fonds marins.

Essayez de voir si vous pouvez découvrir quelque chose de nouveau sur cette émotion : à propos de l'endroit où elle se situe, de ce qu'elle vous fait ressentir ou de son comportement.

Remarquez son énergie, ses pulsations ou sa vibration.

Remarquez les différentes couches qui la composent.

Remarquez l'endroit où elle commence et celui où elle se termine.

Votre émotion est-elle profonde ou creuse ? Se déplace-t-elle ou est-elle immobile ? Est-elle lourde ou légère ?

Quelle est sa température ? Pouvez-vous déceler des zones de chaleur ou de froid en elle ?

Ressentez-vous une certaine résistance envers cette émotion ? Est-ce que votre corps devient tendu autour d'elle ? Votre respiration s'accélère-t-elle ou devient-elle superficielle ? Sentez-vous que votre esprit s'inquiète ou proteste ?

NOMMEZ VOTRE ÉMOTION

Une fois que vous aurez remarqué votre émotion, nommez-la. Dites-vous silencieusement : « Voici la peur. » « Voici la colère. » « Voici la culpabilité. » (Si vous ne parvenez pas à trouver le mot juste pour décrire votre émotion, essayez de la décrire : « Voici la douleur. » « Voici le stress. » « Voici l'engourdissement. »)

Continuez d'observer cette émotion comme s'il s'agissait d'une créature marine fascinante. La grande différence, c'est que cette créature a maintenant un nom. Vous savez à qui vous avez affaire.

RESPIREZ AVEC VOTRE ÉMOTION

Respirez lentement et profondément, et imaginez que votre souffle circule dans votre émotion et tout autour d'elle.

Alors que votre souffle voyage ainsi, c'est un peu comme si vous vous déployiez, d'une certaine façon : un certain espace s'ouvre en vous.

C'est l'espace de la conscience.

Tout comme l'océan, qui est assez grand pour tous ses habitants, l'espace de votre conscience peut aisément accueillir toutes vos émotions.

Respirez avec cette émotion et faites-lui une place en vous.

Détendez-vous à son contact. Donnez-lui de l'espace.

Respirez aussi dans les résistances de votre corps : les zones de tension, les nœuds que vous sentez en vous, les contractions… puis faites de la place à toutes ces choses aussi.

Respirez dans toutes les résistances que vous trouvez dans votre esprit : le brouillard épais du « non », du « mauvais » ou du « va-t'en ».

Maintenant, lorsque vous relâchez votre souffle, relâchez vos pensées en même temps.

Plutôt que de vous accrocher à elles, laissez-les aller et venir comme des feuilles dans la brise d'automne.

LAISSEZ UNE PLACE À VOTRE ÉMOTION

Nul besoin d'aimer, de désirer ou même d'approuver votre émotion.

Contentez-vous de voir si vous pouvez lui laisser une place en vous.

Laissez-la être là où elle est. Elle y est déjà, pourquoi chercher à la combattre ?

Faites la paix avec elle.

Laissez-la avoir son propre espace.

Donnez-lui de la place pour bouger.

Donnez-lui la permission de faire ce qu'elle est déjà en train de faire ; laissez-la être ce qu'elle est déjà.

ÉLARGISSEZ VOTRE PRÉSENCE

Le biologiste de la vie aquatique peut concentrer son attention sur la pieuvre, mais il peut aussi élargir son champ d'observation pour remarquer l'eau qui l'entoure et les rochers qui sont derrière elle.

Nous pouvons tous élargir notre champ d'observation de la même façon. Une fois que vous avez fait de la place pour votre émotion, vous pouvez donc chercher à élargir votre conscience. Continuez à remarquer votre émotion, tout en reconnaissant qu'il ne s'agit que d'un des aspects du moment présent.

Tout autour de cette émotion se trouve votre corps, avec lequel vous pouvez voir, entendre, toucher, goûter et sentir.

Prenez maintenant un peu de recul et admirez la vue : ne vous contentez pas de remarquer ce que vous sentez, mais aussi ce que vous entendez, voyez et touchez.

Imaginez votre conscience comme le faisceau d'une puissante lampe de poche qui pourrait révéler tout ce qui se cache dans le noir. Utilisez-la pour éclairer dans toutes les directions et pour avoir une idée nette de l'endroit où vous vous trouvez.

Ce faisant, n'essayez pas de vous distraire de votre émotion. N'essayez pas non plus de l'ignorer. Gardez-la dans votre conscience, tout en tissant des liens avec le monde qui vous entoure.

Laissez votre émotion être là, aux côtés de toutes les autres choses qui sont aussi présentes.

Remarquez ce que vous sentez et ce que vous pensez.

Remarquez ce que vous faites et la façon dont vous respirez.

Remarquez tout. Absorbez tout.

Utilisez votre conscience pour chevaucher ces deux mondes : celui qui est en vous et celui qui est à l'extérieur de vous. Illuminez les deux à l'aide de votre conscience.

Puis participez pleinement à la vie, telle qu'elle est dans l'instant présent.

■　■　■

Comme pour tous les exercices de pleine conscience, celui que je viens de vous présenter peut être réalisé n'importe quand, n'importe où et le temps que vous voulez. Si vous désirez accroître votre habileté à pratiquer l'expansion, vous pouvez en faire un long exercice qui durera de dix à quinze minutes. Vous pouvez aussi en faire une version courte (de dix à quinze secondes) à tout moment : remarquez simplement l'émotion qui est en vous, respirez avec elle, laissez-la être en vous, puis étendez votre conscience pour vous permettre de prendre part au monde qui vous entoure.

Vous vous dites peut-être : « Oui, d'accord, mais qu'est-ce que je fais, après ? Une fois que j'ai étendu ma conscience et rétabli les ponts avec le monde qui m'entoure, qu'est-ce que je suis censé faire ? » La réponse est bien simple : si vous faites quelque chose d'utile ou d'enrichissant, continuez de le faire et plongez-vous totalement dans cette activité. Concentrez toute votre attention sur ce que vous faites et laissez-vous absorber par elle. En revanche, si vous ne faites *pas* quelque chose d'utile ou d'enrichissant, arrêtez immédiatement et optez pour une activité plus significative. (Si vous n'arrivez pas à trouver d'activité qui soit utile, ne vous inquiétez pas. Nous en parlerons plus en détail dans la quatrième partie : « Prenez position ».)

Je dois faire ici une mise au point importante : vous n'êtes pas obligé de mettre de côté toutes vos stratégies de contrôle – c'est-à-dire toutes ces choses que vous faites pour essayer de contrôler vos émotions. Les stratégies de contrôle ne sont problématiques que si vous les utilisez avec excès, si vous comptez trop sur elles ou si elles vous permettent d'atténuer votre douleur à court terme, mais qu'elles nuisent à votre qualité de vie à long terme. L'objectif visé est d'agrandir votre coffre à outils pour que vous ayez d'autres options que de *contrôler* ou d'*être contrôlé*.

Je vous encourage donc à faire l'effort, plusieurs fois par jour, d'observer attentivement vos émotions en faisant preuve de curiosité. Si vous trouvez cela difficile, allez-y à pas de bébé, étape par étape. Personne ne s'attend à ce qu'un pompier éteigne un incendie gigantesque à lui seul sans aucune formation préalable. Le pompier en formation s'exerce à éteindre de petits incendies allumés dans des conditions soigneusement contrôlées et dans des endroits spécifiques. Il en va de même pour la pratique des exercices de prise de conscience de nos émotions. Vous ne pouvez pas commencer par vos émotions les plus lourdes. Choisissez plutôt des émotions moins menaçantes et plus accessibles. Les centaines de formes que peuvent prendre l'impatience, la frustration, la déception et l'anxiété provoquées par les aléas de la vie quotidienne sont un bon point de départ.

Étudiez attentivement vos émotions pour découvrir leurs habitudes. Quand apparaissent-elles? Quelles parties de votre corps aiment-elles occuper? Comment votre corps réagit-il à leur présence? Où ressentez-vous de la résistance, des tensions et des luttes internes?

Lorsque nous regardons un documentaire, nous pouvons nous réjouir en voyant un requin, un crocodile ou une raie. Ces créatures meurtrières et cruelles peuvent nous remplir d'admiration et de considération. Notre défi, maintenant, sera de voir nos émotions de la même manière. Parce que même si elles peuvent avoir l'air dangereuses, elles ne peuvent pas nous blesser de quelque façon que ce soit. Contrairement à un crocodile ou à un requin, elles ne peuvent pas nous dévorer. À l'inverse des raies, elles ne peuvent pas nous empoisonner. Il n'est pas plus dangereux de regarder nos sentiments attentivement que d'observer un documentaire animalier. Par conséquent, portez un regard curieux sur vos émotions dès que vous le pouvez. Il n'est pas nécessaire que ce soit un long regard; il doit juste être curieux.

CHAPITRE 10
Enlevez vos lunettes

Il y a trois mots, très simples, qui peuvent créer un fossé de la réalité instantanément, dans tous les aspects de la vie. Les voici : *pas assez bon*. Tout ce que notre esprit a à faire, c'est de juger que quelqu'un ou quelque chose n'est *pas assez bon*, et voilà, nous sommes immédiatement insatisfaits. Par moments, notre esprit nous balancera ces jugements à la figure : nous ne sommes pas assez intelligents, pas assez beaux, nous n'avons pas assez de succès, nous ne sommes pas d'assez bons parents, amis ou partenaires. À d'autres moments, ces jugements concerneront des personnes que nous connaissons : il ou elle n'est pas assez honnête, pas assez gentil ou pas assez intéressant. Finalement, notre esprit portera ces jugements sur à peu près n'importe quoi : nos cuisses, notre maison, notre réussite, notre revenu, la météo, nos voisins, notre belle-famille, le comportement de nos enfants ou du chien, ou encore notre propre comportement. D'une manière ou d'une autre, toutes ces choses ne seront *pas assez bonnes*.

Si nous prenons de tels jugements pour argent comptant, comme nous le faisons volontiers, cela nous amène instantanément à lutter contre tout ce qui est à l'opposé. Pour être insatisfaits de notre travail, de nos amis ou de notre propre corps, tout ce que nous avons à faire, c'est de nous accrocher à ces trois petits mots : *pas assez bon*. Bien sûr, notre esprit n'utilisera pas toujours ces trois mots précis ; il pourra dire que notre emploi est «ennuyeux», que nos amis ne sont «pas dignes de confiance», que notre corps est «gros», que notre progression est «trop lente» ou que les résultats que nous obtenons ne sont «pas à la hauteur». Mais tous ces jugements reviennent à la même chose, à ces trois mêmes mots: *pas assez bon*. Pendant que nous sommes perdus dans ces histoires, il est impossible de connaître l'épanouissement. En fait, tant que nous nous accrochons à ces mots, notre mécontentement est assuré.

Même si nos jugements négatifs sont parfaitement justifiés et que nous pouvons les soutenir avec toutes sortes de preuves, il n'en demeure pas moins qu'il est très rare que le fait d'étiqueter quelque chose comme n'étant *pas assez bon* soit utile. Habituellement, cela ne sert qu'à créer un fossé de la réalité, ou à creuser encore davantage celui qui existe déjà!

Remarquez bien la réaction de votre esprit à ce que je dis: est-il plutôt d'accord avec moi, plutôt sceptique ou tout bonnement curieux? Comprenez-moi bien: je ne dis pas que nous devons simplement *subir* les choses difficiles ou douloureuses auxquelles nous faisons face. Je ne propose pas non plus que nous abandonnions la poursuite de nos objectifs, la satisfaction de nos besoins ou les efforts que nous faisons pour améliorer les choses. Vous le comprendrez mieux quand vous lirez la section intitulée «Prenez position». Tout ce que je dis, c'est que la formule «ce n'est pas assez bon» est l'une des variations favorites des histoires que nous raconte notre esprit, et que lorsque nous nous laissons accrocher par celle-ci, notre vie devient généralement plus compliquée.

Votre esprit vous dira peut-être: «Mais comment pourrais-je améliorer quelque chose si je ne peux pas dans un premier temps juger qu'elle n'est pas assez bonne?» Il va sans dire que nous voyons tous beaucoup de choses que nous aimerions améliorer dans notre vie. Lorsque cela se produit, nous pouvons reconnaître qu'il y a là un fossé de la réalité, ce fossé qui sépare ce que nous avons de ce que nous désirons. Ce n'est qu'après avoir reconnu la présence de ce fossé que nous pourrons agir: nous pourrons alors déterminer comment améliorer notre situation et faire ce qu'il faut pour y parvenir. Cela est très différent du fait de patauger dans l'histoire qui nous dit que nous ne sommes *pas assez bons*, en nous la rejouant toute la journée jusqu'à nous perdre dans une brume de mécontentement. Peu importe à quel point la situation dans laquelle vous vous trouvez est pénible, vous ne ferez que l'empirer si vous passez vos journées dans un smog épais rempli de « ce n'est pas assez bon ».

Lorsqu'une histoire remplie de « ce n'est pas assez bon » nous accroche, c'est un peu comme si nous mettions une paire de lunettes aux verres couleur caca. Devinez un peu ce que nous pouvons voir quand nous observons notre mariage, notre corps ou notre boulot au travers de telles lunettes ? C'est que ces verres sont vraiment spéciaux ! Ils ne voient pas seulement les choses qui sont là dans le moment présent, mais ils peuvent aussi voir dans le passé et dans l'avenir. Lorsque nous utilisons ces lunettes pour voir dans le passé, nous nous rejouons les souvenirs de vieilles douleurs et de déceptions enfouies ; nous revivons des défaites et des doléances anciennes ; nous rallumons d'anciennes rancunes et haines ; et nous remâchons sans cesse des événements douloureux dont nous ne pourrons jamais nous défaire. En fait, notre esprit nous dit que notre passé n'est *pas assez bon*.

De même, quand nous regardons l'avenir avec ces lunettes, il ne nous semble pas très attirant. Nous imaginons toutes sortes de scénarios effrayants et nous pensons à plein de choses qui pourraient mal finir. Nous nous embourbons dans l'inquiétude et l'anxiété, pris par la peur de l'échec, du rejet, de la vieillesse et de la maladie. Nous avons peur de rater l'éducation de nos enfants, de vieillir seuls, d'être pauvres ou de nous blesser, quand nous ne sommes pas simplement terrifiés par l'incertitude et l'inconnu. En d'autres mots, l'avenir n'est *pas assez bon*.

Cette histoire suscite également des relents d'envie et d'avidité, alors que nous pensons : « Ce que j'ai en ce moment n'est pas assez bon. » Elle dénote une certaine insécurité et une peur de l'intimité : « Si tu me connais mieux, tu te rendras compte que je ne suis pas assez bon. » Elle se nourrit de ressentiment et de colère : « La façon dont tu me traites n'est pas assez bonne. » Tout cela pave la voie à la dépression et au suicide : « La vie en soi n'est pas assez bonne. »

Que pouvons-nous faire avec cette histoire, alors ? La pensée positive la fera-t-elle disparaître ? Devrions-nous prendre la mesure des bienfaits dont nous jouissons, et voir le verre comme étant à moitié plein plutôt qu'à moitié vide? J'en doute. (Vous pouvez essayer si vous le souhaitez, mais des millions de gens ont emprunté cette voie sans succès.) Ne pourrions-nous pas nous montrer plus fermes et nous dire d'arrêter une fois pour toutes de porter des jugements aussi catégoriques sur notre vie et de penser de façon aussi négative? Beaucoup de gens ont essayé cette voie également, mais l'ironie qui se cache derrière cette stratégie, c'est qu'il ne s'agit que d'une autre façon – plus subtile, certes, mais qu'importe – de se dire que nous ne sommes *pas assez bons*. Heureusement pour nous, il existe une manière beaucoup plus efficace de régler cette histoire : la remarquer et la nommer.

Lorsque votre esprit vous répète que vous n'atteignez pas assez vos objectifs, que vous ne gagnez pas assez d'argent ou que vous ne faites pas assez d'exercice, ou alors lorsqu'il vous accuse d'être gros, paresseux, stupide, égoïste, grognon, anxieux, autoritaire ou mou du genou, la première chose à faire consiste simplement à…

Faire une pause.

Faites une pause et respirez. Inspirez lentement, doucement et profondément.

Faites une pause, respirez et remarquez ce qui se passe. Remarquez ce que fait votre esprit.

Tout en remarquant la façon dont fonctionne votre esprit, montrez-vous curieux. Voyez-vous comment votre esprit vous raconte encore cette histoire? Utilise-t-il des mots, des images, ou une combinaison des deux? Pouvez-vous entendre une voix à l'intérieur de votre tête? Si vous avez répondu par l'affirmative, où se situe cette voix : à l'arrière de votre tête, au milieu ou à l'avant? Comment sonne-t-elle? Est-ce votre propre voix ou celle de quelqu'un d'autre? Est-elle forte ou douce, lente ou rapide? Quelle émotion y a-t-il dans cette voix?

Faites encore une pause, respirez, remarquez ce qui se passe et nommez-le.

Nommez l'histoire que raconte votre esprit d'une façon qui vous aide à vous en séparer, à prendre du recul afin de la voir pour ce qu'elle est vraiment : un enchaînement de mots et d'images. Par exemple, vous pourrez vous dire : « Ah! La voilà encore, cette bonne vieille histoire intitulée "Je ne suis pas assez intelligent". Je la connais par cœur!» À ce moment, vous vous sentirez probablement un peu plus léger, comme si vous veniez de retirer vos lunettes aux verres couleur caca et que vous voyiez enfin le monde plus clairement.

Cet exercice est très stimulant parce qu'il nous rappelle que notre véritable pouvoir ne se trouve pas dans les efforts que nous pouvons déployer pour empêcher ces histoires de faire surface, pas plus qu'il ne se situe dans une lutte inutile contre elles; c'est en prenant du recul, en voyant ces histoires pour ce qu'elles sont et en les laissant aller et venir à leur guise que nous pouvons enfin nous libérer de leur emprise.

Imaginez un instant que votre esprit s'active à relever tous les défauts, les imperfections, les mauvaises habitudes et les faiblesses de votre partenaire, de vos enfants, de vos amis, des gens de votre famille ou de votre patron. Vous pouvez employer la stratégie que je viens de décrire pour vous défaire de ces pensées négatives: faites une pause, respirez et remarquez. Remarquez les rouages de votre esprit, notez à quel point il est doué pour accaparer votre attention. Observez avec curiosité les mots qu'il emploie et les images qu'il choisit; remarquez comment il les met ensemble pour vous déranger, vous mettre en colère ou vous inquiéter. Faites une pause, respirez, remarquez... puis donnez un nom à l'histoire: « Ah! Encore cette vieille histoire qui dit: "Personne n'est assez bon." »

Si votre esprit vous parle d'autre chose qu'une personne – par exemple de votre emploi, de votre revenu, de votre maison, de votre voiture ou même de votre repas du soir –, alors faites encore une fois une pause, respirez, remarquez ce qui se passe et nommez cette histoire: « Ah! Je la reconnais, cette histoire selon laquelle rien n'est jamais assez bon. »

Sentez-vous libre de jouer avec cette technique, par exemple en y ajoutant une dose d'humour ou de légèreté. Vous pourriez ainsi vous dire: « Ah non! Non, non, non! Ce n'est pas ASSEZ bon!» Ou encore: «Super! Mon émission préférée commence. Moi qui avais tellement hâte d'écouter *Vous n'êtes pas assez bon!*» Vous pourriez même utiliser une abréviation pour nommer cette situation: «PAB!»

Cherchez à tirer profit de votre sens de l'humour et de votre candeur lorsque vous remarquez ce que raconte votre esprit et que vous le nommez. Peut-être pourrez-vous alors voir la grande ironie résidant dans le fait que cet instrument merveilleux que l'on appelle l'*esprit humain*, qui est si créatif, innovateur et immensément utile, ait en même temps une propension naturelle à juger, à critiquer et à comparer ; à trouver la faille, à ne voir que les défauts ou à trouver des problèmes partout où il regarde.

Si vous vous demandez pourquoi l'esprit humain a une telle propension, considérez ce phénomène dans le contexte de l'évolution. Les hommes et les femmes des cavernes qui vivaient assez longtemps pour avoir beaucoup d'enfants étaient ceux qui pouvaient clairement voir les problèmes quotidiens (les animaux dangereux, les conditions climatiques extrêmes et les rivaux sans pitié), ceux qui pouvaient anticiper les problèmes futurs (l'arrivée de *plus* d'animaux dangereux, de conditions climatiques extrêmes et de rivaux sans pitié) et ceux qui savaient comment résoudre ce type de problèmes de façon efficace. Ainsi, si un homme des cavernes avait choisi de flâner dans la nature, dans un état de béatitude constant, en pensant que les choses étaient bien assez bonnes telles qu'elles étaient, en ne voyant ni n'anticipant aucun problème, il n'aurait pas survécu assez longtemps pour avoir des enfants. Tout indique qu'il aurait été rayé de la carte par des animaux sauvages, des conditions climatiques extrêmes ou des rivaux sans pitié avant même d'avoir atteint la puberté.

Notre esprit a donc évolué jusqu'à devenir une machine de résolution de problèmes super efficace. C'est pourquoi il voit maintenant des problèmes partout où il regarde et considère que les choses, telles qu'elles sont, ne sont *pas assez bonnes*. (Si quelqu'un vous a déjà dit que la « pensée négative » révélait un esprit défectueux ou faible, il ne savait pas de quoi il parlait ; il s'agit d'un processus psychologique parfaitement naturel.)

Une fois que nous avons remarqué et nommé l'histoire des choses *pas assez bonnes*, nous sommes généralement capables de nous en séparer, de la mettre de côté plutôt que de nous y accrocher. Nous pouvons alors retirer nos lunettes teintées et voir le monde avec un regard neuf. Rappelez-vous que la pleine conscience signifie que nous prêtons attention à ce qui nous arrive avec une ouverture d'esprit et une curiosité sincères. Sans nos lunettes, nous pouvons concentrer notre attention sur ce que nous voyons, entendons, touchons, goûtons et sentons. Nous pouvons remarquer, avec curiosité, ce que nous faisons dans l'instant présent, pour nous y engager pleinement, plutôt que de nous morfondre dans ce qui n'est *pas assez bon*.

Il faut noter que nous ne basculons pas pour autant dans le monde de la *pensée positive*, en essayant de remplacer *pas assez bon* par *tout est parfait*. Cela reviendrait à essayer de se convaincre que le verre est à moitié plein plutôt qu'à moitié vide. *À moitié plein* et *à moitié vide* ne sont rien de plus que des histoires à propos du verre. Aucune des deux n'est plus *vraie* que l'autre. Lorsque nous sommes réellement présents avec le verre d'eau, et que nous le regardons avec ouverture et curiosité, ce genre de considérations disparaît rapidement au profit de sa forme, de la façon dont il reflète la lumière, de la quantité d'eau qu'il contient et des changements de luminosité aux endroits où l'eau touche ses parois.

« D'accord, vous dira peut-être votre esprit, je conçois que le fait de s'apitoyer sur tout ce qui n'est *pas assez bon* ne soit pas très utile, mais qu'est-ce que je fais par rapport au fossé de la réalité, maintenant ? » C'est là une excellente question. Lorsque nous faisons face à un fossé important, qu'il soit provoqué par notre mariage, notre emploi, notre santé ou notre comportement, nous pouvons réagir de façon bien plus efficace si nous sommes dans un état de présence. Il est beaucoup plus difficile de résoudre nos problèmes quand nous sommes perdus dans le smog.

Cependant, être présent ne constitue qu'une première étape. La deuxième étape consistera à clarifier vos objectifs : comment souhaitez-vous vous positionner et comment allez-vous vous comporter lorsque vous essaierez de résoudre votre problème ? Nous parlerons de cette deuxième étape plus loin dans ce livre, lorsque nous aborderons le rôle des objectifs, mais, pour l'instant, concentrons-nous sur la première étape. Essayez de vous séparer des histoires des choses *pas assez bonnes* dans chacune des sphères de votre vie où elles se présentent le plus souvent, et voyez la différence que cela peut faire. Une fois que vous serez libéré de ces pensées, portez un regard curieux sur le monde qui vous entoure. Soyez *comme un arbre* et profitez du moment présent. Qui sait ?

Vous constaterez peut-être que vos problèmes semblent un peu plus petits et plus faciles à supporter une fois que vous aurez retiré ces lunettes qui vous donnaient une vision trouble et sombre.

Il arrive parfois que le fossé de la réalité nous soit imposé par des inondations, la famine, le feu, la mort, la maladie ou d'autres désastres naturels. À d'autres moments, nous créons ce fossé nous-mêmes, du moins en partie, par nos comportements contre-productifs. Tout le monde fait des erreurs de temps à autre. Tout le monde peut mettre les pieds dans les plats ou tout faire foirer. Nous pouvons tous nous laisser manipuler par nos émotions comme des marionnettes au bout de leur corde, agissant alors contre nos propres intérêts. Lorsque nous sommes perdus dans nos pensées et que nous avons de la difficulté à gérer nos émotions, nous finissons souvent par dire et faire des choses qui sont bien loin de la personne que nous souhaitons vraiment être. Nous pouvons blesser les personnes que nous apprécions le plus, ou encore les éviter parce que nous ne nous sentons pas dignes de leur amour.

Si nous nous exerçons à appliquer les principes de ce livre, nous constaterons que ce type de situation se produira moins souvent qu'auparavant. Cependant, il ne faut pas se leurrer : nous ne serons jamais parfaits. Nous continuerons encore, de temps à autre, de mettre les pieds dans les plats. Cela fait partie de la condition humaine.

Qu'est-ce que votre esprit a tendance à faire lorsque vous faites une erreur ? S'il ressemble un tant soit peu au mien, il sort son gros bâton et se met à vous taper dessus ; il vous dit que vous n'êtes *pas assez bon*, que vous ne pouvez pas y arriver ou qu'il y a quelque chose qui ne tourne pas rond chez vous. À d'autres moments, il choisit de vous faire la leçon en vous disant que vous devriez faire plus d'efforts, vous améliorer et devenir meilleur. En soi, ce n'est guère surprenant. Quand nous étions enfants, les adultes nous ont souvent critiqués dans l'espoir de nous pousser à modifier notre comportement; il n'est donc pas étonnant que, en grandissant, nous ayons pris ce pli envers nous-mêmes. Malheureusement, cela n'est pas une habitude très productive.

Vous connaissez probablement le vieil adage qui parle de la carotte et du bâton. Si vous voulez convaincre un âne de porter une lourde charge pour vous, vous pouvez le motiver à l'aide d'une carotte ou d'un bâton. Les deux approches vous permettront de faire avancer la bête, mais, à long terme, si vous la frappez avec le bâton de façon répétée, elle deviendra misérable et maladive. D'un autre côté, si vous récompensez l'âne en lui donnant une carotte chaque fois qu'il fait ce que vous voulez, vous finirez par avoir un animal en bien meilleure santé, et qui aura de surcroît une excellente vision nocturne! Vous rabaisser, vous couvrir de reproches et vous culpabiliser est tout aussi inefficace que de frapper l'âne avec un bâton. Évidemment, une bonne dose d'autocritique peut parfois vous pousser à aller dans la bonne direction, mais plus cela devient une habitude, plus vous devenez malheureux et perdez la santé. De surcroît, il y a fort peu de chances que cela vous aide à modifier votre comportement. Vous vous sentirez plutôt misérable et embourbé.

Peu importe ce qui a causé le fossé de la réalité auquel vous faites face – qu'il s'agisse d'une catastrophe naturelle ou d'un problème que vous avez au moins en partie contribué à créer par votre propre comportement –, la compassion envers vous-même est essentielle. À moins, bien sûr, que vous ne souhaitiez vraiment passer votre vie à vous faire rudoyer comme un âne récalcitrant... mais j'en doute un peu.

Rappelez-vous que la compassion envers soi-même est formée de deux éléments : la bonté et la présence. Nous avons déjà fait un survol des habiletés nécessaires pour atteindre l'état de présence : la défusion, l'expansion et la connexion. La prochaine étape consistera à les *mélanger* avec la bonté. Je vais donc vous proposer un exercice – ou, pour être plus précis, une série d'exercices – qui vous permettra de faire pleinement l'expérience de la compassion.

UN EXERCICE DE COMPASSION ENVERS SOI-MÊME

Trouvez une position confortable dans laquelle vous êtes centré sur vous-même et alerte. Par exemple, si vous êtes assis sur une chaise, vous pouvez vous pencher légèrement vers l'avant, en redressant votre dos, en relâchant vos épaules et en appuyant doucement vos pieds sur le sol.

Pensez maintenant à un fossé de la réalité qui vous fait souffrir en ce moment. Prenez quelques instants pour réfléchir à la nature de ce fossé et à la façon dont il vous affecte, et laissez vos pensées et vos sentiments difficiles remonter à la surface.

1. Soyez présent
Faites une pause.

C'est tout ce que vous avez à faire : une pause.

Faites une pause pendant quelques secondes et remarquez ce que votre esprit cherche à vous dire. Remarquez les mots qu'il emploie, la vitesse et la longueur de son discours.

Soyez curieux. Est-ce que cette histoire vous rappelle une vieille rengaine souvent entendue, ou s'agit-il de quelque chose de nouveau ? Où votre esprit vous amène-t-il : vers le passé, le présent ou l'avenir ? Quels jugements porte-t-il ? Quelles étiquettes utilise-t-il pour décrire la situation ?

N'essayez pas de débattre avec votre esprit ou de le réduire au silence ; vous ne feriez que le provoquer.

Remarquez simplement l'histoire qu'il vous raconte.

Remarquez aussi, avec curiosité, toutes les émotions qui montent en vous. Que découvrez-vous ? La culpabilité, la tristesse, la colère, la peur ou l'embarras ? Le ressentiment, le désespoir, l'angoisse, la rage ou l'anxiété ?

Nommez ces émotions à mesure que vous les sentez monter en vous : «Voici la peur.» «Voilà l'anxiété.»

Prêtez attention, comme le ferait un enfant curieux, à ce qui se passe à l'intérieur de votre corps. Où sentez-vous ces émotions le plus fortement? Quelle est la taille, la forme et la température de ces sentiments? Combien de couches ont-ils? Combien de types de sensations pouvez-vous trouver à l'intérieur de chacun de ces sentiments?

2. Ouvrez-vous

Maintenant, respirez doucement et profondément avec votre douleur.

Faites-le avec une attitude empreinte de bonté.

Insufflez sollicitude et aide dans ce souffle; voyez cet acte comme un geste de réconfort et de soutien.

Imaginez qu'un grand espace s'ouvre en vous, comme par magie, pour qu'il vous soit possible d'y mettre tous ces sentiments.

Peu importe à quel point ces sentiments sont douloureux, n'essayez pas de lutter contre eux.

Offrez la paix à vos sentiments plutôt que l'hostilité.

Laissez-les être tels qu'ils sont et donnez-leur tout l'espace dont ils ont besoin, plutôt que d'essayer de les repousser.

Si vous remarquez une résistance quelconque dans votre corps (une tension, une contraction ou un serrement), respirez également avec elle. Faites de la place à ces sensations.

Accueillez tout ce que vous ressentez avec une attitude empreinte de paix et avec la volonté de faire de la place pour vos sentiments, vos pensées et votre résistance.

3. Tenez-vous avec bienveillance

Choisissez maintenant l'une de vos mains.

Imaginez qu'il s'agit de la main d'une personne très douce et attentionnée.

Placez cette main, doucement et gentiment, sur la partie de votre corps qui vous fait le plus mal.

Peut-être sentez-vous que la douleur est plus forte dans votre poitrine, dans votre tête, dans votre cou ou dans votre estomac? Placez votre main à l'endroit où la douleur est la plus intense. (Si vous vous sentez plutôt engourdi, posez votre main au centre de votre poitrine.)

Laissez-la posée là, doucement et gentiment, que ce soit sur votre peau ou votre vêtement.

Sentez la chaleur jaillir de votre paume jusque dans tout votre corps.

Imaginez que votre corps s'adoucit autour de votre douleur, qu'il se relâche, s'amollit et lui fait de la place.

Tenez cette douleur gentiment. Tenez-la comme s'il s'agissait d'un petit bébé en pleurs, d'un chiot gémissant ou d'une œuvre d'art très fragile.

Insufflez toute votre chaleur et votre bonté dans ce geste, comme si vous tendiez la main à une personne que vous aimez.

Laissez cette bonté couler de vos doigts.

Maintenant, utilisez vos deux mains. Posez-en une sur votre poitrine et l'autre sur votre estomac, et laissez-les posées là, délicatement. Tenez-vous doucement et gentiment : prenez le temps de rétablir le contact avec vous-même, de prendre soin de vous et de vous apporter tout le réconfort et le soutien dont vous avez besoin.

4. Parlez-vous gentiment

Maintenant, dites-vous quelque chose de gentil, qui exprimera votre affection ou votre sollicitude.

Vous pouvez dire un mot en silence, comme «bonté» ou «affection», pour vous rappeler votre intention.

Vous pouvez dire : «Ça fait vraiment mal.» «C'est difficile.»

Vous pouvez dire : «Je sais que c'est difficile, mais je peux y arriver.»

Vous pouvez même vous répéter une citation ou un proverbe, pour autant que cela ne minimise pas l'importance de votre douleur.

Si vous avez commis une erreur ou subi un échec, vous pouvez vous rappeler : «Oui, je suis humain. Comme tout le monde sur cette planète, je fais parfois des erreurs et il m'arrive de me tromper.»

Vous pouvez reconnaître que cela fait partie de la condition humaine, vous rappeler, gentiment et doucement, que vous ressentez la même chose que tous les humains qui font face à un fossé de la réalité. Cette douleur vous dit quelque chose de très important : que vous êtes vivant, que vous avez un cœur, que vous vous souciez de votre bien-être et qu'il existe un fossé entre ce que vous désirez et ce que vous avez. C'est ce que *tous* les humains ressentent en pareilles circonstances. C'est désagréable. Ça fait mal. Ce n'est certainement pas ce que vous souhaitez. Mais c'est quelque chose que vous partagez avec tous les autres humains qui vivent sur cette planète.

■ ■ ■

J'espère que vous avez trouvé l'exercice précédent utile. Vous pouvez évidemment l'adapter à votre situation comme bon vous semble. Par exemple, si vous n'aimez pas mes suggestions de mots gentils, vous pourrez les remplacer par les vôtres. Pour vous aider dans ce processus, imaginez que vous êtes un jeune enfant qui ressent la même douleur que vous. Si vous vouliez vous montrer attentionné envers cet enfant, lui fournir le soutien et le réconfort dont il a besoin et lui montrer que vous vous souciez vraiment de son bien-être, quel genre de paroles pourriez-vous lui dire ? Quels que soient les mots qui vous viennent à l'esprit, essayez de vous dire quelque chose de similaire, avec la même attitude attentionnée, prévoyante, douce et gentille. Vous pourriez même aller un peu plus loin avec cette idée et la transformer en un puissant exercice d'imagination, comme ceci :

LA COMPASSION POUR SOI… EN TANT QU'ENFANT

Installez-vous confortablement et fermez les yeux (ou fixez un point dans la pièce).

Respirez lentement et profondément, puis prenez conscience de votre respiration avec ouverture et curiosité.

Vous êtes sur le point de faire un exercice d'imagination. Certaines personnes ont une imagination qui produit des images vives et colorées comme celles d'un téléviseur, alors que d'autres imaginent des images plus vagues et floues. D'autres encore ont une imagination qui n'emploie aucune image, quelle qu'elle soit, optant plutôt pour des mots et des idées.

Dans cet exercice, la façon dont fonctionne votre imagination n'a aucune importance.

Imaginez maintenant que vous montez dans une machine à voyager dans le temps. Une fois à l'intérieur de cette machine, vous vous transportez vers le passé pour vous rendre visite à l'époque où vous n'étiez encore qu'un enfant. Vous allez voir cet enfant à un moment de sa vie où il ressent une grande souffrance, immédiatement après avoir vécu un événement bouleversant.

Maintenant, sortez de la machine à voyager dans le temps et établissez le contact avec cette version plus jeune de vous-même. Regardez bien cet enfant et tentez de comprendre ce qu'il vit. Est-ce qu'il est en train de pleurer? Est-ce qu'il a faim? Est-ce qu'il a peur? Se sent-il coupable ou honteux? De quoi cet enfant a-t-il vraiment besoin? D'amour, de bonté, de compréhension, de pardon, d'encouragements ou d'acceptation? Prenez une voix douce, calme et aimable pour dire à ce *jeune vous* que vous savez ce qui lui est arrivé, que vous savez ce par quoi il a dû passer et que vous savez à quel point cela le fait souffrir.

Dites à cet enfant qu'il n'a pas besoin que quelqu'un d'autre vienne valider son expérience, puisque VOUS savez ce qu'il vit.

Dites-lui qu'il a survécu à cette expérience, et qu'il ne s'agit plus maintenant que d'un souvenir douloureux.

Dites-lui que vous êtes là pour lui, que vous savez à quel point c'est difficile pour lui et que vous voulez l'aider au meilleur de vos capacités.

Demandez à l'enfant s'il a besoin de quoi que ce soit ou s'il souhaite que vous fassiez quelque chose pour lui. Peu importe ce qu'il vous demandera, donnez-le-lui. S'il vous demande de l'emmener dans un endroit spécial, allez-y. Offrez-lui une accolade, un baiser, des mots tendres ou un cadeau. Étant donné que c'est un exercice d'imagination, vous pouvez lui offrir tout ce qu'il veut. Si ce *jeune vous* ne sait pas ce qu'il veut, ou s'il ne vous fait pas confiance, dites-lui clairement que ce n'est pas un problème. Après tout, vous êtes là pour le soutenir, et vous serez toujours à ses côtés s'il a besoin d'aide.

Dites à cet enfant que vous êtes là pour lui, que vous vous souciez de son bien-être, et que vous allez l'aider à se remettre de sa peine afin qu'il puisse mener une vie bien remplie, enrichissante et féconde.

Continuez à déverser votre bonté et votre sollicitude sur cette jeune version de vous-même de toutes les façons imaginables, que ce soit par des mots, des gestes ou des actions.

Lorsque vous sentez que ce *jeune vous* a accepté vos attentions et votre bienveillance, laissez-le aller et concentrez votre attention sur votre respiration.

Observez votre respiration avec ouverture et curiosité pendant quelques minutes, puis ouvrez les yeux et rétablissez le contact avec la pièce où vous vous trouvez.

■ ■ ■

Plusieurs personnes constatent qu'il est beaucoup plus facile d'éprouver de la compassion envers un jeune enfant qui souffre qu'envers soi-même. L'exercice précédent le montre bien. Il peut être utile de le répéter régulièrement, puisqu'en plus de vous aider à accroître votre compassion envers vous-même, cela vous permettra de guérir de vieilles blessures.

Outre la pratique de ces exercices, demandez-vous quelles autres mesures vous pourriez prendre : quels petits actes de gentillesse pourriez-vous faire pour vous aider ? Et si vous preniez un bon bain relaxant ou une douche chaude ? Vous pourriez peut-être vous offrir un massage ou manger de la nourriture saine et nutritive ? Pourquoi ne pas aller faire une marche, prendre du temps *pour vous* ou écouter votre musique favorite ?

Pouvez-vous écouter ce que vous pensez sans porter de jugement et en reconnaissant l'étendue de votre douleur ? Pouvez-vous être doux envers vous-même et vous donner le bénéfice du doute ? Êtes-vous capable de reconnaître que vous êtes un être humain faillible et qu'il est donc normal que vous fassiez des erreurs ? Êtes-vous en mesure de chercher ce qu'il y a de bon en vous ? (Il y a certainement beaucoup de bonnes choses à trouver, même si votre esprit s'obstine à le nier.)

Je sais pertinemment que tout cela est plus facile à dire qu'à faire, mais, comme toutes les nouvelles habiletés, la compassion envers soi-même requiert un certain entraînement. Pour ma part, ce qui est le plus difficile, ce sont les fois où je crie après mon fils. Il m'arrive de temps à autre d'être très en colère contre lui et de sortir de mes gonds. Pourquoi ? Parce qu'il ne se comporte pas comme mon esprit aimerait qu'il se comporte. Son apprentissage et son développement ne suivent pas le rythme que, selon mon esprit, ils *devraient* avoir. Lorsque je me laisse prendre par ces histoires, je perds le contact avec mes valeurs de patience et d'acceptation, ce qui me fait réagir brusquement, crier ou dire des mots durs qui dépassent ma pensée.

Puis, quelques instants plus tard, mon esprit revient me voir avec son gros bâton : « Tu es un mauvais père ! Quel boulot pitoyable tu fais ! Tu t'es vu, sale hypocrite ? Il a seulement cinq ans, vas-y plus doucement ; pourquoi est-ce que tu pètes les plombs comme ça ? Et tu oses dire que tu es un thérapeute ACT ? Qu'est-ce que penseraient tes lecteurs s'ils te voyaient maintenant ? » Voilà comment, en un rien de temps, je me retrouve en train de me débattre dans une énorme tempête de colère, de culpabilité, d'embarras et de frustration.

Puis... après un moment... je prends conscience de ce qui se passe, alors je pose mes pieds fermement sur le sol en prenant de grandes respirations et je remarque ce que je peux voir, entendre, toucher, goûter et sentir. Je deviens présent. Je reconnais que je souffre. Je place une main sur ma poitrine ou mon abdomen, à l'endroit où la douleur est la plus aiguë, et je respire profondément. Je me rappelle, encore une fois, que je suis un être humain, et qu'à l'image de tous les parents de la Terre, je fais parfois des gaffes. Il est normal de se sentir ainsi lorsque nous voulons vraiment être de bons parents et que nous ne parvenons pas à être à la hauteur de nos idéaux.

Par la suite, je cherche à voir ce qui se trouve sous la surface, à trouver ce qui se cache derrière toute cette colère et cette frustration. J'y retrouve une PEUR ÉNORME. Une quantité énorme de peur à propos de l'avenir de mon fils. Que se passera-t-il s'il ne *progresse* pas suffisamment? Va-t-il être rejeté ou harcelé? Va-t-il être cet élève, dans la classe, que tout le monde embête et raille? Puis je cherche encore plus profondément en moi, pour voir ce qui se terre derrière cette peur. Je finis par trouver qu'il s'agit de l'AMOUR. Rien d'autre qu'une quantité infinie, illimitée, magique et absolue d'amour.

Si vous prenez le temps de vous asseoir tranquillement, d'être doux et aimable avec vous-même et de porter un regard curieux sur votre douleur émotionnelle, je suis prêt à parier que vous trouverez quelque chose de similaire en vous. Peu importe la nature de votre émotion (la colère, la peur, la tristesse ou la culpabilité), tenez-la gentiment et demandez-vous : « Qu'est-ce que cette douleur peut m'apprendre sur mon cœur? Que me dit-elle sur ce que j'aime plus que tout? » Vous pourrez aussi vous poser cette autre question, qui vient de Steven Hayes, le créateur de la thérapie ACT: « Que devriez-vous renoncer à aimer pour ne plus ressentir cette douleur? »

Ces questions vous aideront à vous souvenir que vous n'êtes pas une *mauvaise personne*, même si votre esprit vous dit parfois le contraire. Vous êtes un être humain attentionné. Après tout, si vous ne vous en faisiez pas pour quoi que ce soit, vous ne ressentiriez pas cette douleur.

PENSEZ PETIT

Pour accroître la compassion envers soi-même, il n'est pas nécessaire de faire quelque chose de grand ou de spectaculaire. Les plus petits actes de gentillesse peuvent tout changer. Par exemple, voici une série de gestes que j'ai accomplis ce matin: je me suis étiré le cou et le dos, j'ai pris une douche chaude, j'ai joué avec mes chats, j'ai chatouillé mon fils et je me suis bagarré gentiment avec lui, j'ai mangé un petit-déjeuner sain et j'ai écouté les oiseaux qui piaillaient sous ma fenêtre. De tels petits gestes contribuent, avec le temps, à bâtir une relation de soutien et de compassion avec soi. Quand bien même vous ne feriez que vous *imaginer* faisant ces gestes, cela pourrait suffire à générer un sentiment de gentillesse envers vous-même.

La psychologue américaine Kristin Neff, qui est l'une des chercheuses les plus reconnues au monde sur le sujet de la compassion envers soi-même, recommande d'ajouter un troisième élément essentiel à ceux que nous avons abordés dans les exercices précédents (la pleine conscience et la gentillesse). Elle souligne l'importance de nos *points communs* ou de notre *humanité commune*. En gros, cela implique une réflexion sur la condition humaine et la nature de notre souffrance. Lorsque nous sommes blessés et que nous souffrons, il est important de se rappeler qu'il s'agit là d'expériences humaines *normales* ; que, partout sur la Terre, en ce moment même, il y a des millions et des millions d'autres êtres humains qui ressentent une souffrance très semblable à la nôtre. Nous ne faisons pas cet exercice dans le but de banaliser ou d'écarter notre douleur, mais plutôt pour reconnaître qu'elle fait partie de l'expérience de la vie humaine. C'est quelque chose que nous partageons et que nous avons en commun avec tout le monde. Cela peut donc nous aider à comprendre la souffrance de ceux qui nous entourent et à étendre notre compassion à leur malheur également.

Lorsque nous souffrons, notre esprit nous dit que nous sommes les seuls à vivre ce que nous vivons. Toutes les autres personnes semblent tellement plus heureuses que nous ne le sommes ! Les autres ne ressentent pas cette douleur qui nous fait si mal. Ils ne font pas les gaffes que nous commettons, et ne connaissent pas d'échecs aussi grands que les nôtres. Si nous croyons ces sornettes, notre souffrance sera encore plus intense. En réalité, tous les humains souffrent. Toute vie humaine est marquée par le deuil ou les épreuves. Nous sentons tous, par moments, que la réalité nous frappe en plein visage quand nous nous retrouvons face au fossé qui sépare ce que nous avons et ce que nous voulons. Ces situations se produisent encore et encore, pour chacun des humains qui peuplent cette planète.

Quand la vie nous malmène ou qu'elle fait tomber un tas de fumier sur le pas de notre porte, il importe donc de se souvenir que la compassion envers soi-même doit être notre premier réflexe. Une fois cela acquis, il sera bon de se tourner vers les stratégies et les méthodes de résolution de problèmes. Nous pourrons alors réfléchir à des paroles sages et agir de façon engagée, en accord avec nos valeurs. Les meilleurs résultats, cependant, se produiront généralement lorsque la compassion sera notre premier recours.

Alors, je vous en prie, n'attendez pas un instant de plus. Je vous encourage à profiter de chaque occasion qui se présentera à vous pour accroître votre compassion envers vous-même. Tout au long de la journée, vous pourrez vous exercer à faire de petits gestes attentionnés. Chacun d'entre eux a son importance !

TROISIÈME PARTIE
Jetez l'ancre

CHAPITRE 12
Larguez les amarres

Il semble évident que plus le fossé auquel nous faisons face est profond, plus notre douleur émotionnelle est grande. Il y a par ailleurs deux émotions particulières qui surgissent presque toujours dans ces moments difficiles : la peur et la colère. Cela n'a rien de surprenant. Lorsqu'un oiseau, un reptile ou un mammifère se trouve dans une situation périlleuse, son mécanisme de *lutte* ou de *fuite* se déclenche automatiquement : l'organisme se prépare donc à fuir le danger ou à rester pour le combattre. Chez les humains, cette réaction de *lutte* se transforme instantanément en colère – ou en l'un de ses proches parents : frustration, irritation, ressentiment et rage. De même, la réaction de *fuite* se transforme instantanément en peur – ou en l'un de ses proches parents : anxiété, énervement, doute, insécurité et panique. Il arrive très souvent que nous ayons les deux réactions de façon simultanée.

En plus de la colère et de la peur, toutes sortes d'émotions pénibles peuvent nous assaillir. Par exemple, si le fossé résulte d'une perte importante, la tristesse et la peine se mettront de la partie. Si nous avons contribué à la création de ce fossé – ou, du moins, si nous croyons en être responsables –, la culpabilité risque également de venir nous accabler.

Ces sentiments douloureux nous submergent souvent à la manière d'un raz-de-marée : ils montent en nous et nous emportent avec eux, sans que nous en soyons même conscients. Vous serez peut-être surpris d'entendre ceci, mais il y a un moment et un endroit où il est parfaitement acceptable de se laisser engloutir par les vagues. Pourquoi? Parce que, quelle que soit leur taille, ces vagues ne pourront jamais causer notre noyade – même si notre esprit nous dit parfois qu'elles en sont capables. Vous voyez, lorsque nous atteignons un état d'expansion – autrement dit, lorsque nous *prenons du recul* et que nous observons ces vagues avec ouverture d'esprit et curiosité –, nous devenons comme le ciel: vaste, ouvert et spacieux. Peu importe à quel point nos émotions sont tumultueuses, nous pouvons faire de la place pour elles et les laisser aller et venir, exactement comme les vagues qui surgissent de l'océan pour finir par y retourner.

Quand nous sommes aux prises avec une douleur intense, il peut être utile de rester bien ancré, mais il y aura inévitablement des moments où nous n'y parviendrons pas. Pourtant, dès que nous nous apercevrons que nous nous sommes laissé emporter, il sera possible de jeter l'ancre sur-le-champ. Avec le temps, nous acquerrons une plus grande facilité à réagir ainsi. Les vagues commenceront graduellement à diminuer en taille. Elles seront peut-être encore grandes, mais il ne sera plus question d'un raz-de-marée. Elles nous renverseront encore à l'occasion, mais pas toujours. Plus nous réussirons à jeter l'ancre rapidement et efficacement, moins ces vagues auront un impact important sur nous lorsqu'elles nous frapperont de plein fouet.

Comment faire, alors, pour jeter l'ancre? Il se trouve que vous connaissez déjà la réponse à cette question: c'est simplement une version très brève de l'exercice «Être comme un arbre» que nous avons vu au chapitre 3. Nous pouvons faire cette version écourtée en l'espace de quelques secondes. Voici comment faire:

JETEZ L'ANCRE

Prenez cinq à dix secondes pour faire l'exercice suivant:

Posez vos pieds fermement sur le sol et redressez votre colonne vertébrale.

Ce faisant, respirez lentement et profondément.

Regardez autour de vous et remarquez cinq choses que vous pouvez voir.

Écoutez attentivement et remarquez cinq choses que vous pouvez entendre.

Prenez conscience de l'endroit où vous êtes et de ce que vous faites.

■ ■ ■

Ce très bref exercice peut être effectué en tout temps et en tout lieu. Il nous ramènera instantanément au moment présent pour que nous puissions participer pleinement à notre vie et nous concentrer sur ce que nous avons à faire. Si nous maintenons une conscience aiguë de notre environnement, de nos actions et de nos sentiments, cela nous permettra généralement de rester ancrés jusqu'à ce que les vagues se calment.

Comme pour tous les exercices de prise de conscience, vous pouvez le modifier de toutes sortes de façons. Par exemple, vous pourriez vous lever et vous étirer, en maintenant cet état d'étirement pour sentir vos muscles s'allonger. Vous pourriez aussi placer les paumes de vos mains ensemble et appuyer jusqu'à ce que vous sentiez les muscles de votre cou, de vos bras et de vos épaules se contracter. Autres possibilités : appuyer fermement avec vos mains sur les bras de votre chaise, ou vous masser énergiquement le cou et le crâne.

Utilisez alors ces sensations physiques comme votre ancre. Ouvrez vos oreilles et ouvrez-vous du même souffle sur le monde. Remarquez ce que vous pouvez entendre, voir, toucher, goûter et sentir ; remarquez où vous êtes et ce que vous faites. Vous pouvez faire tout cela aussi rapidement ou lentement que vous le désirez.

En pratique, *jeter l'ancre* et *se tenir avec bienveillance* sont des actions qui se produisent presque simultanément. Nous jetons parfois l'ancre en premier lieu, pour s'offrir un peu de compassion juste après, mais il est aussi possible d'inverser ces deux gestes.

Vous vous souvenez d'Ali, ce réfugié irakien qui avait été torturé ? Je lui ai demandé de s'exercer à jeter l'ancre de vingt à trente fois par jour. Cela peut sembler excessif, mais il souffrait d'un trouble de stress post-traumatique (TSPT) et il lui faudrait beaucoup de temps pour s'en remettre. Je savais que ses visions continueraient de bondir sur lui à tout moment sans crier gare pour lui faire revivre les épisodes douloureux et cauchemardesques vécus par le passé. Je voulais donc qu'il devienne expert dans l'art de revenir au moment présent. Je vous encourage fortement à faire de même.

Bien sûr, il n'y a pas que les émotions douloureuses qui peuvent nous emporter ; nous nous laissons aussi aisément conquérir par nos pensées, en particulier par cette bonne vieille histoire qui nous dit que tout n'est *pas assez bon* et qui n'attend jamais bien longtemps pour revenir nous rendre visite. L'histoire des choses *pas assez bonnes* est très ingénieuse. Elle change continuellement d'apparence en revêtant différents déguisements, ce qui nous complique la tâche lorsque vient le moment de la reconnaître. Elle peut donc nous surprendre assez facilement. Pour nous exercer à la reconnaître sous ses formes variables, étudions un peu le rôle de cette histoire dans certains des fossés les plus courants.

L'ENVIE ET LA JALOUSIE

Sam, un entrepreneur fortuné, était fréquemment torturé par l'envie. Même s'il était multimillionnaire, il ne se considérait pas comme quelqu'un de riche. Pourquoi ? Parce qu'il se comparait sans cesse à tous les autres entrepreneurs qu'il connaissait et qui, eux, étaient *milliardaires*. Dès qu'il entendait parler de leurs succès, il en devenait malade ; son estomac se nouait, sa mâchoire se serrait et son cœur battait à un rythme fou, comme le ferait celui d'une bête sauvage. Amer et plein de ressentiment, il se demandait pourquoi c'était eux qui avaient toute cette richesse et pas lui.

Nous sommes tous, par moments, pris par la jalousie ou l'envie. Ces émotions déplaisantes nous assaillent lorsque nous voyons la bonne fortune des autres et que nous éprouvons de l'amertume à leur égard plutôt que de nous réjouir pour eux. Nous voulons avoir ce qu'ils ont, nous aussi. Nos esprits sont particulièrement rapides quand il s'agit de comparer et de juger : cela se produit souvent avant même que nous n'ayons pu nous en rendre compte. Nous voyons la carrière d'une autre personne, son partenaire, sa voiture, sa maison, son revenu, son apparence physique, son intelligence ou sa personnalité, et notre esprit s'empresse de comparer tout cela à ce que nous possédons nous-mêmes, pour finalement juger que ce que nous avons n'est *pas assez bon*. Nous ressentons alors une impression de privation et d'injustice, ainsi que le sentiment d'avoir loupé le coche.

En d'autres mots, nous nous laissons accrocher par ces histoires. Notre esprit nous dit : « Ce que j'ai déjà n'est *pas assez bon*. J'ai besoin de plus de choses, de choses de meilleure qualité, ou d'une combinaison de tout cela. J'ai besoin de ce qu'ils ont, eux ! » Dans le cas de Sam, son esprit lui disait que ses revenus n'étaient « pas encore assez importants ». Son entreprise n'était « pas assez florissante ». Sa réussite n'était « pas assez remarquable ». Qu'est-ce que vous dit votre esprit pour déclencher votre envie ? Est-ce qu'il met l'accent sur certains aspects de votre vie ? Y a-t-il des sujets chauds qui vous font partir au quart de tour ?

Dans mon cas, c'est à propos des ventes de mes livres que mon esprit aime me houspiller. Je me souviens encore d'un incident qui est survenu il y a quelques années. Je discutais avec Steven Hayes de son livre *Get Out of Your Mind and Into Your Life*, quand il m'a dit combien d'exemplaires il en avait vendu. Je suis devenu vert d'envie sur-le-champ. Ses ventes étaient beaucoup plus élevées que les miennes ! J'ai fait de gros efforts pour sourire, en le félicitant de son succès, mais je crois bien qu'il pouvait voir à quel point j'étais pâle et accablé. C'est bien simple, je me sentais comme si j'avais reçu un coup de pied dans le ventre.

Évidemment, ma réaction était tout sauf rationnelle. Il suffit de consulter les remerciements de n'importe lequel de mes livres de croissance personnelle pour voir que le nom de Steven est toujours bien présent, et le plus souvent en haut de la liste. J'éprouve envers cet homme une incroyable reconnaissance, et la réaction rationnelle que j'aurais dû avoir est de me réjouir de son succès. Dans les faits, après m'être calmé et avoir mis en pratique les conseils que je donne dans ce livre, j'ai *bel et bien* été capable d'apprécier la chance qu'il avait. Pourtant, ma réaction initiale avait été l'envie, et elle m'était venue si rapidement et intensément qu'elle m'a choqué. Après tout, mon propre livre,

Le piège du bonheur, se vendait également très bien et, avant cette rencontre avec Steven, j'étais ravi de mes ventes. Cela montre bien la puissance de l'esprit ; à quel point il lui suffit d'un quart de seconde pour nous retirer tout sentiment d'accomplissement et le remplacer par une insatisfaction intense.

N'oublions pas qu'il existe une autre forme de jalousie appelée *possessivité* : celle de la femme ou du mari jaloux qui deviennent anxieux, furieux ou paranoïaques lorsque leur partenaire passe du temps avec d'autres personnes ou exprime seulement le désir de le faire. Dans ce cas, le partenaire jaloux vit généralement deux versions de l'histoire des choses qui ne sont *pas assez bonnes*. D'abord vient ce sentiment profond qui nous dit : « Je ne suis pas assez bon, et si mon partenaire passe du temps avec d'autres personnes, il va voir qu'elles sont mieux que moi. » Cela est communément relié à une autre version de l'histoire des choses *pas assez bonnes* : « Mon partenaire n'est *pas assez* loyal, digne de confiance, fidèle ou honnête, alors il finira par me tromper ou me quitter. »

Au cœur de cette jalousie ou de cette envie, nous trouvons habituellement une certaine peur. Elle peut prendre plusieurs formes : la peur de pertes matérielles ou de la pauvreté, la peur de ne pas connaître suffisamment de succès, la peur de devoir toujours attendre, d'être rejeté pour ne pas avoir été à la hauteur, de manquer quelque chose ou de « se contenter de peu ». Comme vous pouvez le voir, toutes ces peurs sont reliées à un même thème : les choses qui ne sont *pas assez bonnes*. Lorsque nous sommes aux prises avec l'envie, la jalousie ou la possessivité, la première chose à faire est donc de déterminer de quelle histoire il s'agit. Demandez-vous ceci : « Selon ce que me dit mon esprit, qu'est-ce qui n'est *pas assez bon* ? Est-ce que c'est mon corps, mon esprit, ma vie, mes réalisations, mon travail, mon salaire, mes enfants ou mon partenaire ? »

Les prochaines étapes consisteront à nommer l'histoire, à la laisser aller et à jeter l'ancre ; nous pourrons ensuite nous engager pleinement dans ce que nous faisons et agir avec détermination. Gardez toutefois à l'esprit que si la défusion des histoires *pas assez bonnes* est certainement une bonne chose, ce n'est en même temps qu'une partie du tableau d'ensemble. Nous devons aussi gérer notre réaction physique en faisant de la place pour ces sentiments désagréables et en faisant preuve de compassion envers nous-mêmes.

La compassion envers soi-même est particulièrement importante. L'envie et la jalousie, tout comme les craintes qui en sont le déclencheur, et le ressentiment qui les accompagne souvent, peuvent nous faire vivre des expériences douloureuses et difficiles. Ces émotions blessent, et il est normal que nous souffrions lorsqu'elles nous assaillent. Veillons donc à être aimables et attentionnés envers nous-mêmes.

Prenez garde, cependant: notre esprit pourrait utiliser nos propres réactions comme des munitions. Il peut nous juger sévèrement pour avoir réagi de façon aussi instinctive. Par exemple, lorsque j'ai réfléchi à l'envie que j'avais ressentie à l'égard du succès de Steven Hayes, je n'ai pas aimé ce que cela a révélé sur moi: ça a mis en lumière mes insécurités et mon sentiment d'insuffisance. Croyez-vous que mon esprit était rempli de compassion et de compréhension face à cela? Croyez-vous qu'il m'a dit: «Tu sais, Russ, tu es un être humain et de pareilles réactions émotionnelles sont parfaitement normales et fréquentes, alors ne sois pas trop dur avec toi-même, d'accord?» Évidemment que ce n'est pas ce qu'il a fait... du moins pas au départ. Au lieu de cela, mon esprit a sorti son gros bâton, m'a donné une raclée terrible et m'a traité de tous les noms. Nous devons être à l'affût de réactions comme l'autojugement, l'autorécrimination, l'autopunition et l'autocondamnation. Ces réactions ne font rien, mais vraiment rien du tout pour nous aider. Il ne s'agit ni plus ni moins que de versions simplifiées de l'histoire nous disant que nous ne sommes *pas assez bons*. Nous devons donc apprendre à les reconnaître, à les nommer et à les laisser aller, en s'exerçant à être gentils avec nous-mêmes à la place.

Sam, l'entrepreneur rongé par l'envie, était très sceptique à l'égard de cette approche dans un premier temps. J'ai continué à l'encourager à essayer malgré tout, et il a graduellement constaté que son envie et ses jugements sévères à l'égard de son propre succès commençaient à diminuer. Il avait toujours obtenu de bons résultats en étant sévère envers lui-même, alors la compassion envers soi ne lui apparaissait pas comme un réflexe naturel. Pourtant, avec le temps, il a pu développer une belle relation avec lui-même. Ce faisant, il a commencé à remarquer que les comparaisons avec ses pairs devenaient bien moins importantes à ses yeux.

LA SOLITUDE

La solitude est une autre cause de fossé entre ce que nous avons et ce que nous désirons. Il est cependant important de ne pas confondre la solitude et le fait d'être seul. Vous avez probablement fait l'expérience (ne serait-ce que de façon occasionnelle) d'être seul et d'apprécier cet état d'isolement passager. La solitude est, fondamentalement, un état de déconnexion, qui survient lorsque nous nous détournons de la réalité plutôt que de nous y engager. Cette déconnexion peut avoir lieu même quand nous sommes au beau milieu d'une relation sociale ; c'est pourquoi nous entendons souvent les gens dire : « Je me sentais si seul dans cette relation. » Elle peut aussi se manifester sous la forme du désagréable sentiment de coupure que nous ressentons lorsque quelqu'un est avec nous physiquement, sans être *vraiment là*.

Dans cet état de déconnexion, des sentiments et des pensées désagréables ont tendance à faire surface, et c'est cette expérience que l'on appelle la *solitude*. Nos pensées nous donnent l'impression que notre réalité, ici et maintenant, n'est *pas assez bonne*. « J'aimerais que quelqu'un d'autre soit ici », pensons-nous alors. Ou bien : « J'aimerais être ailleurs. » Quant aux sentiments, ils consistent généralement en un mélange de tristesse, d'anxiété et d'envie, parfois entremêlés de frustration et de ressentiment.

Lorsque nous considérons la solitude ainsi, nous pouvons voir que nous devons nous défusionner de nos pensées et faire de la place à nos sentiments. Ce n'est cependant qu'une partie de la solution. Notre solitude est un signal nous indiquant que nous sommes déconnectés et nous rappelant que nous apprécions la connexion. Après tout, si les relations n'avaient aucune importance pour nous, nous ne nous sentirions pas seuls, n'est-ce pas ? L'autre partie de la réponse est donc de cultiver activement la connexion.

Nous pouvons cultiver des liens avec d'autres personnes, mais cela n'est pas toujours possible, ou nous pouvons choisir de ne pas le faire. Si nous ne pouvons ou ne voulons pas entretenir de tels liens avec autrui, nous pouvons les cultiver en nous, par le truchement de la compassion envers nous-mêmes. Nous pouvons aussi établir des liens avec la nature, avec notre travail, notre passe-temps, notre sport, notre religion, notre art ou toute autre chose qui remplit les deux conditions suivantes :

- nous y avons accès en ce moment ;
- c'est important pour nous, d'une certaine façon.

Pour établir des liens avec l'une ou l'autre de ces choses, il nous faut agir : nous devons commencer à faire une forme d'activité qui joue un rôle dans ce domaine de notre vie. En accordant toute notre attention à cette activité, nous nous libérons de nos pensées et nous nous engageons pleinement dans ce que nous faisons.

Souvent, lorsque nous agissons de la sorte, nous nous absorbons tellement dans l'activité choisie que nos pensées et notre sentiment de solitude disparaissent d'eux-mêmes. Cependant, il est important de comprendre que si cela se produit, ce n'est qu'un bonus, et non notre principal but. Ce que nous voulons, c'est avoir une vie fondée sur la présence et sur des objectifs, et non pas essayer de nous débarrasser de nos sentiments désagréables. C'est donc dire que ce n'est pas vraiment un problème si ces pensées et sentiments désagréables ne disparaissent pas ; dans la mesure où nous pratiquons la défusion et l'expansion, ils ne pourront pas nous empêcher d'avoir une connexion avec quelque chose d'important qui améliore notre vie.

LE PIÈGE DU DIAGNOSTIC

Pour de nombreux thérapeutes, psychologues et psychiatres, il est très important de donner un diagnostic précis à leurs clients : ils leur accolent une étiquette en leur disant qu'ils souffrent de l'un ou l'autre des centaines de troubles mentaux qui peuvent exister, comme un trouble dépressif majeur, un trouble anxieux généralisé, un trouble de la panique, un trouble obsessif-compulsif ou un trouble de stress post-traumatique. Bien que cela puisse réellement aider dans certains cas, cela peut aussi causer beaucoup de tort dans d'autres. En fait, *si* un tel diagnostic nous permet de faire des changements positifs dans notre vie, je dirais qu'il est utile.

Cependant, si nous fusionnons avec le diagnostic reçu, et que nous croyons que cette étiquette nous définit, nous résume et contient l'essence de ce que nous sommes vraiment, alors nous avons un gros problème. Malheureusement, cela se produit plus souvent qu'on ne le pense. J'ai rencontré plusieurs clients qui s'enlisaient dans leur situation en entrant en fusion avec l'étiquette qui leur avait été accolée : « Je suis dépressif. » « Je suis obsessif-compulsif. » « Je suis accro. » Remarquez l'effet produit lorsque nous nous décrivons ainsi : cela donne l'impression que nous *devenons* cette étiquette, que le diagnostic qui nous a été donné nous *définit*.

Ce qui est encore pire, c'est que ces étiquettes sont souvent reliées à plusieurs versions de l'histoire qui nous dit que nous ne sommes *pas assez bons* : « Je suis abîmé par la vie. » « Je ne pense pas de façon rationnelle. » « Je suis faible. » « Il y a quelque chose qui ne tourne pas rond chez moi. » « Je ne peux pas affronter les difficultés aussi facilement que les autres. » « Je suis différent. » « Je suis foutu. »

Un rappel s'impose ici : dans la thérapie ACT, nous ne trouvons pas important en général de déterminer si ces histoires sont vraies ou fausses ; ce qui nous intéresse avant tout, c'est de savoir si elles sont utiles ou non. En d'autres mots, si nous nous accrochons à cette histoire, est-ce que cela nous aidera à devenir la personne que nous voulons être, ou à faire des choses qui enrichiront notre vie et nous combleront ? Malheureusement, mon expérience me pousse à constater que la majorité des personnes qui fusionnent avec les étiquettes qu'on leur a accolées ne vivent *pas* une vie plus enrichissante. Au contraire, cela les empêche d'aller de l'avant, puisqu'ils fusionnent avec une croyance qui leur dit : « Je ne peux pas faire [insérer un objectif important ici] parce que je suis [insérer un diagnostic ici]. » Lorsqu'ils s'accrochent fermement à cette croyance et qu'ils lui permettent de les malmener et de diriger leur vie, cette prophétie malheureuse a bien souvent tendance à se réaliser.

Le message à ne pas oublier est donc le suivant : ne vous accrochez pas de toutes vos forces à ce genre d'étiquettes. L'étiquette qui décrit les ingrédients d'un pot de confiture n'est pas la même chose que la confiture elle-même. La description d'un centre de villégiature que l'on peut lire sur un dépliant ou dans un site de voyage n'est pas non plus la même chose que le centre lui-même. Pareillement, un diagnostic est une simple description d'un ensemble de pensées, de sentiments et d'attitudes ; ce n'est pas une définition de la personne qui produit ces pensées, qui éprouve ces sentiments et qui adopte ces attitudes.

Ce message s'applique également aux étiquettes apposées aux autres. Lorsque des gens se font étiqueter de la sorte, il est facile de commencer à ne les voir qu'à travers le prisme de ce diagnostic. Cela n'est pas sain pour une relation : on considère alors ni plus ni moins que l'autre personne n'est *pas assez bonne*. Ma femme et moi sommes tous deux tombés dans ce piège quand notre fils a été diagnostiqué autiste. Nous avons instantanément fusionné avec cette étiquette, et les effets ont été horribles. Nous avons eu l'impression que notre fils nous avait été enlevé, que le petit garçon que nous connaissions avait disparu pour être remplacé par ce diagnostic aussi lourd qu'étouffant.

Heureusement, avec le temps, nous avons pu défusionner d'avec ce diagnostic. Nous avons appris à le voir avec légèreté, à ne le considérer que comme un outil qui nous aidait à accéder à des services pouvant améliorer la vie de notre fils. Notre petit garçon nous était revenu et nous pouvions l'apprécier tel qu'il était, avec ses excentricités bien à lui. Nous pouvions accepter les défis qu'il nous présentait et savourer les merveilleux moments que nous passions ensemble, plutôt que de ne le voir que comme un enfant ayant un trouble du spectre autistique.

Évidemment, cette approche est valable pour toutes les formes que peuvent prendre les histoires vous disant que vous n'êtes *pas assez bon*, et non pas seulement pour les diagnostics psychiatriques. Si vous êtes accroché à des étiquettes comme « gros », « stupide », « bon à rien », « laid », « paresseux », « incompétent », « pas à la hauteur », etc. – ou si vous croyez qu'elles s'appliquent à quelqu'un d'autre –, reconnaissez que cela ne vous aide pas et détachez-vous-en.

RECONNAISSEZ L'HISTOIRE VOUS DISANT QUE VOUS N'ÊTES *PAS ASSEZ BON*

Si vous voulez avoir une meilleure idée de la prédominance des histoires vous disant que vous n'êtes *pas assez bon*, songez au rôle qu'elles jouent dans le ressentiment, l'avidité, le perfectionnisme, l'ennui, l'insécurité ou la honte. Explorez n'importe laquelle de ces expériences et vous constaterez qu'on y trouve toujours les deux mêmes éléments : des sensations désagréables dans votre corps et une histoire basée sur un scénario vous disant que quelque chose n'est *pas assez bon*. L'un ou l'autre de ces éléments, ou plus fréquemment les deux ensemble, peuvent nous emporter en un rien de temps. Il sera donc utile de s'habituer à jeter l'ancre.

Les fossés de la réalité peuvent avoir des tailles très variées : certains sont immenses, et mènent au choc, au chagrin, à la rage ou au désespoir ; d'autres sont plus petits, et mènent à la décep-tion, à la frustration ou à l'irritation ; d'autres encore se trouvent entre les deux. Cependant, que le fossé soit grand ou petit, nous avons toujours un choix dans notre façon d'y réagir. Si nous *pou-vons* refermer un fossé – sans en ouvrir un autre encore plus grand –, alors il est logique d'entreprendre des démarches pour le refermer. Si, en revanche, nous *ne pouvons pas* le refermer, ou du moins pas pour le moment, il est bon de savoir qu'il existe une autre solution que la lutte ou la fuite ; nous pouvons simplement jeter l'ancre, nous détacher de l'emprise des histoires inutiles qui nous polluent l'esprit, faire de la place à nos émotions doulou-reuses et nous engager pleinement dans quelque chose qui nous tient à cœur et qui est utile à nos yeux.

CHAPITRE 13
Le retour à la maison

Je suis assis ici, devant mon ordinateur, essayant très fort de m'engager pleinement dans ce que j'ai à faire. Mon esprit me raconte toutes sortes d'histoires inutiles. Aucune d'entre elles n'est vraiment nouvelle. En fait, je pourrais dire que je les connais toutes intimement. Elles reviennent me rendre visite presque chaque fois que je me mets à écrire. Celle qui parle le plus fort, aujourd'hui, c'est l'histoire de l'imposture. Elle me raconte que si mes lecteurs me connaissaient mieux – s'ils pouvaient me voir lorsque je me perds dans mon propre smog psychologique, que je laisse mes sentiments me bousculer ou que je fuis mes émotions difficiles plutôt que de leur faire de la place en moi –, ils seraient horrifiés de ce qu'ils verraient. Ils comprendraient que je ne suis qu'un imposteur, un charlatan et un fumiste, et n'hésiteraient pas à dire que je suis le plus grand hypocrite que la Terre ait jamais porté.

Puis, avec une voix qui porte presque autant que la précédente, vient l'histoire de l'ennui. Celle-ci m'assure que je n'ai rien de nouveau à dire, que je me contente de rabâcher le même vieux discours, et que mes lecteurs vont s'ennuyer à mourir en me lisant. À ce chœur d'histoires nuisibles s'ajoute l'histoire me rappelant que j'ai une date de remise qui approche à grands pas. Cette histoire évoque les milliers de mots que j'ai encore à écrire, en n'oubliant pas de mentionner qu'il me reste bien peu de temps pour les coucher sur papier.

Puis, derrière, mais jamais trop loin non plus, vient l'histoire qui me dit que «c'est trop dur». Celle-ci me susurre ses mots empoisonnés à l'oreille: «Abandonne, lâche tout, laisse tomber.» Elle est discrète mais très insistante. «C'est bien trop dur, me murmure-t-elle, tu as épuisé ce que tu avais à dire. Tu n'as plus de jus, c'est tout. Abandonne, allez, laisse tomber.» Puis elle essaie de me tenter en me parlant de tout ce que je manque en travaillant à la rédaction de cet ouvrage: les soirées entre amis, les films, les soupers, le sommeil, la lecture, la musique, toutes ces bonnes choses qui seraient tellement plus agréables que l'écriture.

Je constate alors qu'une lutte se déclare en moi. L'anxiété et la frustration pointent le bout de leur nez et je ressens l'urgence de lutter contre elles et de résister à l'appel de leurs sirènes.

Puis mon esprit ressort le bâton et me frappe à qui mieux mieux: «Pourquoi est-ce que je fais cela? Pourquoi est-ce que je m'impose une telle chose? Pourquoi ai-je accepté ces délais impossibles?» Et il revient me chuchoter: «Abandonne, laisse tomber, lâche tout. Pourquoi n'abandonnerais-tu pas l'écriture pour faire quelque chose de plus facile à la place?»

Je remarque alors ma forte envie de me retirer, d'abandonner et de prendre mes jambes à mon cou.

Je remarque mon désir de fuir cette situation inconfortable, de me débarrasser de toute cette tension.

Il serait tellement plus facile d'agir ainsi. Tout ce que j'aurais à faire, ce serait de me lever, d'éteindre l'ordinateur et d'aller faire quelque chose de moins difficile.

«Oui, c'est ça, me disent les voix. Tu n'as qu'à t'en aller.»

Le smog s'épaissit et, sous la surface, des émotions intenses bouillonnent.

Que devrais-je faire?

Au milieu de cette tempête émotionnelle, je jette l'ancre.

Je pose mes pieds fermement sur le sol.

Puis je respire, lentement et profondément.

Je commence par expirer, en poussant tout l'air que j'ai dans les poumons. Je les laisse ensuite se remplir d'eux-mêmes, de bas en haut.

Ma poitrine prend de l'expansion. Mon ventre se gonfle.

Je sens que je m'ouvre et que je prends de l'expansion.

J'éprouve une sensation d'espace et de légèreté dans ma poitrine, une sensation d'ouverture autour de mon cœur.

Je reviens à la maison. Je reviens à la maison où je retrouve mon corps et où je reprends contact avec moi-même.

Je sens mes omoplates glisser lentement vers le bas.

J'écoute mon cœur. Je le sens s'ouvrir. Je sens sa chaleur, sa tendresse et sa peur.

Je respire et mon souffle traverse mes émotions de nouveau. Un sentiment d'ouverture et d'épanouissement croît en moi.

J'observe mon esprit avec une curiosité enfantine. Il ralentit sa cadence, me parle plus doucement et pose le bâton.

Je respire et j'entre en expansion, je m'adoucis et je m'ouvre sur le monde.

Je me rappelle l'importance d'être doux envers moi-même.

Je cherche à voir s'il y a encore des résistances qui subsistent en moi, et je les trouve rapidement : deux grandes lignes de tension qui entourent mon cou et s'étendent jusque dans mes épaules.

Je respire et dirige mon souffle vers cette tension, en ne faisant aucun effort particulier pour m'en débarrasser ; je cherche purement et simplement à lui donner de l'espace et à l'accepter. Ce faisant, elle se libère, et me libère du même coup.

Je remarque le flux de la respiration, de la chaleur et de la gentillesse en moi, puis je concentre mon attention sur ce que j'ai à faire. S'agit-il de quelque chose d'utile et d'important pour moi ?

Oui, ça l'est. Mon travail est important pour moi. Ce que je fais est directement relié à mes objectifs.

Je retourne alors à mon travail, doucement et patiemment.

Je reviens vers ma vie, ici et maintenant. Je retourne à la maison faire ces tâches que j'ai choisi de faire.

Puis je me demande : « Est-ce que je peux me permettre de ne plus "faire les choses comme il faut" ou de ne pas "terminer mon travail" ? »

C'est un travail important. Je ne veux pas le bâcler, habité par un sentiment d'obligation ou du ressentiment. Est-ce que je peux m'y attaquer avec une attitude d'ouverture et de curiosité à la place ? Est-ce que je peux le faire calmement et tranquillement, avec une attitude généreuse et attentionnée ? Est-ce que je peux envisager mon travail avec simplicité et compassion ?

Oui, je le peux.

Alors, je redresse mon dos sur ma chaise, je replace mes doigts sur le clavier, et je fais ce qui est important pour moi.

■ ■ ■

C'est ainsi que se déroule le processus d'écriture pour moi. À de nombreuses reprises, mes pensées et mes sentiments viennent détourner le cours de mon travail. Ils me surprennent alors que je m'y attends le moins, et j'oublie de répondre de façon consciente. Plutôt que d'avoir recours à la présence, à la défusion et à l'expansion, je me perds dans le smog psychologique, je tente de contrôler mes émotions ou alors je me laisse contrôler par elles.

C'est à ce moment que... je me souviens. Et que je deviens présent.

Puis j'oublie de nouveau.

Mais je me souviens, encore, de ce que je dois faire.

Ce cycle se répète inlassablement. C'est la nature de la présence.

Il est facile d'avoir des moments de présence. Ce qui est difficile, c'est de maintenir cette présence.

Notre attention aime à divaguer ; il est difficile de la garder au même endroit bien longtemps. Nous devons donc nous exercer à la surprendre. Lorsque notre attention part à la dérive, nous devons remarquer qu'elle est partie, l'attraper et la ramener à nous. Lorsque nous nous perdons dans le smog, nous devons remarquer que nous sommes perdus et redevenir présents. Lorsque nous luttons contre un paquet de sentiments tout emmêlés, nous devons remarquer que nous sommes embourbés et prendre de l'expansion. Nous devons répéter ces étapes, encore et encore, pour le reste de nos vies. Nous n'atteindrons jamais d'état parfait dans lequel il ne sera plus nécessaire d'agir ainsi. Personne n'est pleinement présent de façon continuelle... pas même les grands maîtres zen. Il en va de même pour l'ensemble d'entre nous : il y a certains moments où nous sommes présents et d'autres où nous ne le sommes pas.

Évidemment, certaines personnes sont beaucoup plus souvent présentes que d'autres, ce qui est en grande partie dû à la somme d'entraînement qu'elles font pour le demeurer. Jusqu'à présent, dans cet ouvrage, je n'ai parlé que d'entraînement informel : des exercices de pleine conscience rapides et simples que vous pouvez faire à tout moment de la journée. Si vous voulez vraiment accroître votre capacité à être présent, vous pouvez vous tourner vers un entraînement plus formel, comme la méditation de pleine conscience, le hatha-yoga ou le tai-chi.

Il existe une forme d'entraînement formel qui est extrêmement efficace et que je recommande fortement : la pleine conscience par la respiration. Cela consiste à concentrer son attention sur sa respiration et à la ramener vers soi aussi souvent que nécessaire, peu importe à quelle fréquence elle s'égare. Vous trouverez une description détaillée de cet exercice à l'annexe 2. Un avertissement, cependant : si vous n'avez jamais fait d'exercice de ce genre auparavant, vous risquez d'être surpris de voir à quel point c'est exigeant. Si vous réussissez seulement à vous concentrer sur votre respiration pendant dix secondes avant que votre attention ne s'échappe, ce sera déjà un petit exploit.

L'un des principaux défis auxquels font face les gens qui s'engagent dans la voie de la croissance personnelle est le perfectionnisme. Nous savons tous que la perfection est un objectif inatteignable : nous avons tous des défauts, nous faisons tous des erreurs et nous pouvons toujours nous améliorer. Toutefois, la plupart d'entre nous avons tendance à l'oublier. Notre esprit a tôt fait de nous dire que nous devrions faire davantage d'efforts, que nous devrions faire mieux et que nous devrions viser rien de moins que le meilleur. Avant que nous n'ayons le temps de nous en rendre compte, nous devenons les esclaves de ce mode de pensée. Nous trimons dur, toujours plus dur, tendus et nerveux, terrifiés à l'idée de ne pas atteindre notre plein potentiel. Nous vérifions ce que nous faisons deux ou trois fois, pour nous assurer que nous n'avons pas commis d'erreurs, sans jamais être sûrs de les avoir toutes trouvées. Nous revenons en arrière à plusieurs reprises et recommençons à zéro, quand nous n'abandonnons pas ce que nous avons entrepris une fois que nous nous sommes convaincus que nous ne pourrons jamais être aussi bons que nous le souhaiterions. Lorsque nous échouons ou que nous obtenons des résultats inférieurs à nos attentes, notre jugement sur nous-mêmes est impitoyable. Nous ressortons le fouet et nous nous flagellons de plus belle.

Vous aurez compris que le perfectionnisme n'est qu'une autre version de l'histoire disant que nous ne sommes *pas assez bons*. Il en va de même pour toutes les histoires personnelles dont j'ai parlé au début de ce chapitre : « imposteur », « ennuyeux », « trop difficile » et « date de remise ». Décidément, cette histoire voulant que nous ne soyons *pas assez bons* peut prendre une multitude de formes. Heureusement, la réponse à y apporter est toujours la même : reconnaître l'histoire néfaste et la nommer.

Essayer d'être parfait est inutile. Les habiletés de pleine conscience ne pourront jamais être parfaites ; elles ne peuvent qu'être améliorées chaque fois que nous les utilisons. Même si nous passons une semaine entière perdus dans le smog – ou même un mois ou une année complète –, dès le moment où nous prenons conscience de notre situation, nous sommes libres. Nous sommes libres de choisir. Nous pouvons choisir de demeurer dans le smog ou de faire quelque chose de bien plus épanouissant : nous pouvons reconnaître et nommer l'histoire qui occupe notre esprit et revenir au moment présent.

Je dois admettre que lorsque vient le temps d'appliquer cette connaissance à ma situation personnelle, il me reste encore bien des choses à améliorer. Je connais de bonnes et de moins bonnes journées, des moments forts et des moments de faiblesse. Mais, avec le temps, je suis devenu meilleur. Je fuis moins le fossé de la réalité, et je perds moins de temps à le combattre et à m'insurger contre lui. À la place, j'ai appris à revenir au moment présent et à regarder ma situation avec un regard curieux. Je me pose alors la question suivante : « Qu'est-ce qui me pousse à me battre devant cette situation ? » Il s'agit là de l'une des grandes questions à laquelle nous devons tous répondre à certains moments de notre vie. C'est aussi la question qui nous mène à la section suivante de ce livre.

QUATRIÈME PARTIE
Prenez position

CHAPITRE 14
Qu'est-ce que je cherche à atteindre?

Lorsque j'étais dans la mi-vingtaine, je pensais souvent à mettre fin à mes jours. Les gens qui me connaissaient à l'époque sont toujours surpris de m'entendre dire cela. Mes amis, ma famille et mes collègues de travail étaient loin de se douter de la profondeur de mon malheur, puisque j'étais passé maître dans l'art de le cacher. J'avais réussi à convaincre tout mon entourage que j'étais heureux, comblé et content de mon sort.

Probablement que pour un observateur extérieur, je n'avais aucune raison valable d'être à ce point malheureux. Au contraire, j'avais l'air d'être quelqu'un qui avait tout pour lui, comme on dit. J'avais quitté l'Angleterre et son climat pluvieux et froid pour les côtes ensoleillées de l'Australie. Je m'étais acheté une jolie maison dans un quartier en vogue de l'une des villes les plus emballantes du monde (Melbourne). En tant que jeune docteur, j'occupais un emploi très respecté, bien rémunéré et extrêmement stimulant. J'avais également un passe-temps aussi inhabituel que gratifiant: j'étais humoriste. Je jouais souvent le rôle du «Docteur Russ» dans les différents cabarets d'humour de la ville. En plus d'être follement excitant, ce passe-temps me permettait de gagner de l'argent, de recevoir des éloges et d'acquérir une certaine célébrité. (Cela ne m'a pas rendu millionnaire ou très célèbre, bien sûr, mais mes revenus étaient plutôt bons et j'ai eu la chance d'être invité à plusieurs reprises dans des émissions de télévision australiennes à grande écoute comme *Tonight Live* et *The Midday Show*.)

Pourtant, malgré tout cela, j'étais profondément malheureux. L'un des principaux facteurs qui contribuaient à cette situation était sans doute le fait que j'étais très sévère envers moi; je ne cessais de juger tout ce que je faisais de façon critique. Mais, pardessus tout, ce qui me rongeait, c'était un sentiment persistant de vacuité.

« À quoi ça sert, tout ça ? » me demandais-je souvent. Évidemment, j'avais un bon emploi, une belle maison, un bon revenu et un passe-temps que j'aimais, mais à quoi cela rimait-il au juste ? Était-ce tout ce à quoi je pouvais aspirer ? N'y avait-il rien de mieux que cela dans la vie ? Plusieurs choses me procuraient du plaisir : acheter des vêtements, des livres, des disques, aller au cinéma, manger dans les meilleurs restaurants, boire de grands crus, avoir des loisirs intéressants comme la plongée sous-marine, passer des vacances dans des endroits exotiques, etc. Mais si tout cela était indéniablement agréable, aucune de ces activités ne m'apportait de réelle satisfaction. J'avais l'impression de ne servir à rien. Je passais juste mes journées à faire ce que l'on attendait de moi et à essayer, sans grand succès, d'être heureux. La vie avait sûrement mieux à m'offrir que cela…

Avec le temps, ma détresse m'a mené à une forme de quête : j'ai voulu trouver les réponses aux questions qui m'habitaient, pour moi-même bien sûr, mais aussi pour plusieurs de mes patients qui, je le voyais, étaient aux prises avec les mêmes tourments que moi. J'ai alors découvert que, pour connaître les grandes réponses que nous cherchons, nous devons commencer par nous poser de grandes questions :

- Qu'est-ce qui m'importe vraiment et qui me tient à cœur ?
- Qu'est-ce que je veux faire du temps que je passe sur cette planète ?
- Comment est-ce que je souhaite me comporter envers moi-même, les autres et le monde qui m'entoure ?
- Quelles qualités personnelles est-ce que je souhaite cultiver ?

Prenez le temps de réfléchir à ces *grandes questions* avant de poursuivre votre lecture.

■ ■ ■

La présence et le sentiment d'avoir un objectif sont des partenaires intimes. Nos buts donnent une direction à notre vie, et la présence nous permet de profiter le plus possible du temps passé sur Terre. Pratiquer la présence alors que vous n'avez pas de but, c'est un peu comme voguer sur un voilier qui n'aurait pas de voile : vous êtes alors condamné à dériver en étant à la merci des éléments, sans avoir de contrôle sur la direction que vous prenez. Plusieurs personnes croient qu'il est possible de trouver des buts dans des choses qui nous sont extérieures, comme une relation ou une carrière. Mais la vérité, c'est que nos buts sont des choses que nous devons trouver en nous.

J'ai eu l'occasion de constater la véracité de cette affirmation durant les premières années où j'ai pratiqué la médecine. Vous pourriez penser qu'une carrière en médecine est d'emblée remplie de sens : on s'occupe des autres, on guérit les malades, on éprouve de la compassion pour ceux qui souffrent. Or, ce n'est pas nécessairement le cas. Je suis gêné de l'admettre, mais en tant qu'interne, je manquais de compassion pour mes patients. Je n'avais avec eux qu'une relation purement professionnelle et j'étais insensible à ce qu'ils pouvaient penser ou ressentir. Je considérais que mon boulot était de les aider à retrouver la santé et à sortir de l'hôpital dans les plus brefs délais, en leur fournissant les meilleurs traitements possible. Si l'état de mes patients s'aggravait ou qu'ils ne parvenaient pas à se rétablir assez vite, j'étais contrarié plutôt que compatissant. Je les considérais comme des « ennuis » qui rendaient mon travail plus compliqué. L'idée d'établir un lien profond avec mes patients, basé sur l'empathie, ne m'est jamais venue à l'esprit. Les rares fois où j'ai vu un collègue avoir une discussion à cœur ouvert avec un patient, j'ai secoué la tête en me demandant avec étonnement : « Mais qui a encore le temps de faire ça ? »

Cette déconnexion et cette insensibilité envers mes patients ont fait en sorte que mon travail est rapidement devenu très peu satisfaisant. Il m'a pourtant fallu beaucoup de temps pour m'en rendre compte. Étonnamment, c'est un film hollywoodien qui m'a permis d'ouvrir les yeux sur ma situation ! Ce film s'intitule

Le docteur et met en vedette William Hurt. Basé sur une histoire vraie, il raconte le parcours d'un chirurgien cardiaque qui fait un excellent travail sur le plan technique, mais qui n'a pas assez d'empathie et de compassion pour ses patients. C'est lorsqu'il est lui-même atteint d'un cancer de la gorge qu'il prend conscience de sa situation, puisqu'il reçoit alors des traitements aussi froids et détachés que ceux qu'il donne à ses patients. Le médecin qui le traite lui ressemble beaucoup : il est très doué pour ce qu'il fait, mais il ne s'intéresse jamais à l'humain qui se cache derrière le patient. Évidemment, le héros du film n'aime pas cela, et il demande à changer de médecin. La personne qui le prend en charge est alors beaucoup plus attentionnée, sympathique et compatissante. Je ne veux pas trop en dire sur l'histoire parce qu'il s'agit d'un film que je vous recommande vivement de voir. Je peux toutefois vous dire qu'à la fin du film, ce chirurgien cardiaque comprend l'importance capitale de la compassion dans la vie.

J'ai vu *Le docteur* pour la première fois en 1994, alors que je travaillais comme omnipraticien dans un cabinet privé : c'est là qu'un déclic s'est fait dans ma tête. Je me suis dit : « *Voilà* ce à quoi j'aspire : à être plein de compassion, à prendre soin des autres et à être plus sensible. » Dès le lendemain, j'ai commencé à appliquer ces qualités dans mon travail. J'ai ralenti le rythme de mes consultations pour prendre le temps de demander à mes patients comment ils se sentaient, de comprendre leurs douleurs et leurs craintes, et d'imprimer à mes gestes et à mes paroles une gentillesse et une sollicitude sincères. Les résultats étaient fascinants. Non seulement mes patients ont réagi de façon positive à mon changement d'attitude, mais mon travail m'a alors semblé beaucoup plus satisfaisant et vraiment *porteur de sens*.

Cela a eu cependant d'autres répercussions qui n'étaient pas aussi merveilleuses. Vous voyez, plus je devenais attentionné, plus mes consultations s'allongeaient. Encore et encore. Durant mes premières années de pratique, mes consultations duraient environ huit minutes. Mais, dans l'année qui a suivi mon changement d'attitude, la moyenne est montée à trente minutes. Je passais au moins la moitié de chaque consultation à discuter des émotions, des défis, des espoirs, des rêves et des aspirations de mon patient plutôt que de ses problèmes de santé. Tout cela était bien important, mais je n'avais pas prévu la conséquence logique suivante : plus mes consultations étaient longues, plus mon salaire diminuait.

Il faut comprendre qu'en Australie, à l'époque, le système médical fonctionnait ainsi : les omnipraticiens qui recevaient un grand nombre de patients pendant peu de temps gagnaient beaucoup plus d'argent que ceux qui recevaient un petit nombre de patients en accordant à chacun d'eux beaucoup de leur temps. À l'époque où je voyais mes patients pendant trente minutes, mes revenus avaient diminué de moitié ! Étonnamment, cela ne me dérangeait pas plus qu'il ne faut. Pourquoi ? Parce que je me sentais beaucoup plus accompli. Ma vie était plus riche et je trouvais que le jeu en valait la chandelle. En fait, les nouveaux rapports pleins de sollicitude et de compassion que j'avais instaurés avec mes patients étaient si enrichissants que j'ai fini par décider de réorienter ma carrière afin de pouvoir en profiter davantage : c'est à ce moment que je suis devenu psychothérapeute. Devinez un peu quelle a été la conséquence de ce changement sur mes revenus ? Eh oui, ils ont chuté de plus belle ! Je gagnais maintenant le tiers de ce que je touchais autrefois en tant qu'omnipraticien.

Encore une fois, pourtant, ça en valait la peine. Alors que mes revenus piquaient du nez, mon sentiment d'accomplissement n'avait jamais été aussi fort. C'est pourquoi je n'ai jamais regretté cette décision. Elle m'a forcé à emprunter un chemin long et tortueux, qui m'a mené à une vie beaucoup plus riche et épanouie – ainsi qu'à l'écriture de livres comme celui que vous tenez entre vos mains. Cela a confirmé le vieil adage selon lequel l'argent ne peut pas acheter le bonheur. (Ce vieil adage a en fait été confirmé par un bon nombre d'études scientifiques.)

EN QUÊTE DE SENS

Toutes les actions que nous faisons ont un but précis. Que nous lavions la vaisselle ou que nous mangions une glace ; que nous nous mariions ou que nous remplissions nos déclarations d'impôt ; que nous passions la soirée écrasés devant la télévision ou que nous fassions notre jogging matinal : sous chacune de nos actions se cache une intention ; nous faisons quelque chose pour qu'il se passe quelque chose. Mais sommes-nous toujours conscients de cette intention sous-jacente ? Est-il fréquent que nous fassions *consciemment* des choses qui nous permettent d'atteindre des objectifs importants à nos yeux ?

Pour la plupart d'entre nous, la réponse à ces questions est : « Pas vraiment. » Nous avons tendance à traverser notre vie en nous mettant sur le pilote automatique plutôt que de choisir consciemment ce que nous faisons et la manière dont nous devons nous y prendre pour atteindre nos objectifs. Le problème, c'est que nous passons de grandes parties de nos journées à accomplir des actions qui sont, dans l'ensemble, très peu gratifiantes. Pourtant, si nous faisons l'effort conscient de faire correspondre nos actions à un objectif précis (une cause qui nous tient à cœur), tout cela change. Notre vie se remplit de sens. Nous acquérons un sentiment de direction et avons enfin l'impression de créer la vie que nous souhaitons vivre. Nous ressentons un sentiment de vitalité et d'épanouissement qui manque cruellement à notre vie quand nous laissons le pilote automatique la mener à notre place.

Lorsque je demande à mes clients quels sont leurs buts dans la vie, la plupart deviennent confus, anxieux ou répondent : « Je ne sais pas… » (Les quelques exceptions sont des clients qui ont déjà le sentiment d'avoir un but à atteindre. Ce sentiment leur vient généralement de leur religion ou d'un intérêt préalable pour la croissance personnelle.)

Je leur pose alors les *grandes questions* mentionnées précédemment, ce qui déclenche leur réflexion. Dans la thérapie ACT, nous parlons de clarification des valeurs pour décrire ce processus, et il s'agit d'une étape très importante, puisque ce sont nos valeurs qui donnent un sens à notre vie.

Que sont les valeurs, exactement ? Elles sont le reflet de ce que votre cœur souhaite profondément que vous fassiez en tant qu'être humain ; ce sont les qualités que vous désirez mettre dans chacune de vos actions. Il ne s'agit pas de la même chose que nos objectifs : les objectifs peuvent être atteints et rayés de notre liste alors que nos valeurs nous suivront jusqu'à notre mort.

Si vous ne comprenez pas très bien ce concept, dites-vous que vous n'êtes pas le seul. Nous vivons dans une société centrée sur les objectifs plutôt que sur les valeurs. Les gens utilisent d'ailleurs souvent le terme « valeurs » alors qu'ils parlent en fait de règles ou d'objectifs. Laissez-moi par conséquent clarifier la nuance qui existe entre ces termes. Les valeurs représentent *la façon dont vous souhaitez vous comporter*, alors que les objectifs représentent *ce que vous voulez obtenir*. Si vous voulez avoir un bon emploi, vous acheter une grande maison, trouver un partenaire, vous marier ou avoir des enfants, vous venez de décrire un ensemble d'objectifs. Ceux-ci peuvent être rayés de votre liste quand vous dites : « Voilà, c'est fait ! » Les valeurs, en revanche, représentent la façon dont vous voulez vous comporter à chaque étape de la route qui vous mènera vers vos objectifs. Elles dicteront en outre la façon dont vous souhaitez vous comporter lorsque vous atteindrez vos objectifs et, aussi, lorsque vous ne les atteindrez *pas* !

Si, par exemple, vos valeurs sont d'être aimant, gentil et attentionné, alors vous pouvez agir de cette façon immédiatement et pour le reste de vos jours, même si vous n'atteignez jamais l'objectif de vous trouver un partenaire ou d'avoir des enfants. Bien sûr, il est *également* possible d'atteindre vos objectifs d'avoir un partenaire et des enfants en omettant d'être aimant, gentil et attentionné en cours de route. De même, si vos valeurs vous dictent d'être productif, efficace, sociable, attentif et responsable au travail, vous pouvez commencer à vous comporter ainsi dès maintenant, même si votre boulot est « pourri ». Cela dit, vous *pourriez aussi* avoir un emploi formidable et négliger toutes les valeurs que je viens de citer.

Imaginez maintenant que vous voulez être aimé et respecté : s'agit-il là de valeurs ? Non, ce sont des objectifs ! Vous cherchez à obtenir quelque chose dans les deux cas, à savoir l'amour et le respect des gens qui vous entourent. Vos valeurs représentent la façon dont *vous* vous comportez alors que vous essayez d'atteindre ces objectifs, et ce, peu importe si vous finissez par les atteindre ou non. Cependant, si vous souhaitez être aimant et respectueux, ce *sont* des valeurs, c'est-à-dire des qualités qui peuvent se refléter dans notre comportement, puisque nous pouvons nous montrer aimants et respectueux envers nous-mêmes ou autrui si nous le désirons vraiment. Vouloir être aimé et respecté est un but (un désir, un objectif ou un besoin) et il s'agit de quelque chose qui échappe à notre contrôle. Nous ne pouvons pas forcer quelqu'un à nous aimer ou à nous respecter. En fait, plus nous essayons de forcer quelqu'un à nous aimer et à nous respecter, moins il y a de chances qu'il le fasse ! En revanche, si nous agissons de façon aimante et respectueuse envers nous et les autres, il y a d'excellentes chances que ces derniers nous apprécient et nous respectent en retour. (Cela n'est pas garanti, bien sûr ; contrairement à ce qui se passe dans les contes de fées, la vie ne donne pas toujours une fin heureuse à toutes nos actions.)

Qu'en est-il des règles dans tout cela ? En quoi sont-elles différentes des valeurs ? Eh bien, les règles sont la plupart du temps associées à des mots comme « bien », « mal », « bon », « mauvais », « devrait », « ne devrait pas », « dois » et « il faut que ». Les règles vous disent comment vivre votre vie : elles indiquent quelle est la bonne et la mauvaise façon de faire les choses. Les valeurs ne font *pas* cela : elles décrivent simplement les qualités que vous voulez appliquer dans votre comportement quotidien. « Tu ne tueras point » n'est *pas* une valeur, c'est une règle. Elle vous dit ce que vous devriez faire et ce que vous ne devriez pas faire. Elle indique ce qui est bon et ce qui est mauvais. Les valeurs qui sous-tendent cette règle sont le respect (de la vie humaine) et l'attention (que l'on accorde à la vie humaine).

Bien sûr, nous pouvons utiliser nos valeurs pour nous aider à établir des règles qui nous guideront dans la vie, mais nous devons savoir qu'elles ne représentent pas une seule et même chose. Les valeurs nous donnent un sentiment de liberté parce que nous pouvons les employer de plusieurs façons. Au contraire, les règles nous imposent des restrictions ou des obligations ; elles sont souvent un poids et limitent nos options. Imaginez que nous aidons quelqu'un parce que nous voulons agir consciemment en accord avec nos valeurs : nous souhaitons être gentils et généreux. Comparez cela à l'aide que nous apportons à quelqu'un parce que nous respectons des règles rigides : « C'est la bonne chose à faire. » « Je dois faire ça. » « Je lui dois bien ça. » « Je n'ai pas le choix. » La première approche a tendance à nous donner liberté et énergie, alors que la seconde est plus restrictive, fatigante et pénible.

Les valeurs, les règles et les objectifs sont très importants et nous pouvons tous les utiliser à bon escient dans notre vie, mais nous ne devons pas oublier les différences qui existent entre eux afin de pouvoir les utiliser différemment et à différentes fins. Nous pouvons par exemple nous servir de nos valeurs pour établir des objectifs, guider nos actions et nous aider à créer des règles utiles (comme des codes d'éthique ou de morale).

Qu'est-ce que tout cela a à voir avec le fossé de la réalité ? Eh bien, une fois que nous avons jeté l'ancre, nous devons agir et prendre position pour quelque chose, face à la douleur que nous ressentons. Nous ne connaîtrons jamais de sentiment d'accomplissement en abandonnant. Lorsque la vie nous demande : «Quelles choses es-tu prêt à défendre ? », nous pouvons répondre en respectant nos valeurs : «Je ferai le choix d'être la personne que je veux vraiment être ; je vais agir sur ce qui est important pour moi, au plus profond de mon cœur. » En donnant une telle réponse, nous choisissons de suivre une certaine direction. Nous nous donnons un but. Nous donnons un sens à notre vie.

Si cela n'est pas encore tout à fait clair pour vous, ou si vous comprenez le concept sans être vraiment sûr de ce que sont vos valeurs, eh bien... vous l'aurez deviné, c'est tout à fait normal. Un petit exercice vous sera proposé dans le prochain chapitre, qui saura, j'en suis sûr, clarifier les questions pour lesquelles vous n'avez pas encore de réponse. Entre-temps, je vous invite à réfléchir à la liste de *grandes questions* présentée à la page 150 en cherchant à voir s'il existe un lien entre vos réponses et cette citation de sir Humphry Davy, un grand scientifique britannique :

La vie est faite non pas de grands sacrifices et de devoirs, mais de petites choses qui font que les sourires, les marques de gentillesse et les petites obligations, lorsqu'ils sont offerts régulièrement, conquièrent les cœurs et assurent le bien-être.

CHAPITRE 15
Les buts et la douleur

L a vie est à la fois douce et cruelle : elle distribue autant d'émerveillement que d'effroi, et ce, en quantités généreuses. Durant les années où j'ai pratiqué la médecine, j'ai rencontré un grand nombre de personnes qui avaient terriblement souffert dans la vie. J'ai vu des adultes forts et capables être réduits à un état d'invalidité et des esprits brillants être emportés par la démence. J'ai vu des corps déformés et mutilés par toutes sortes de blessures chez des victimes d'accidents, de violences et de désastres naturels. J'ai vu des réfugiés venant de pays lointains avoir toute la misère du monde à se rebâtir une existence un tant soit peu normale après avoir subi le viol ou la torture, et devoir recommencer à zéro après avoir perdu toute leur famille. J'ai vu des gens se tordre d'angoisse parce qu'ils venaient de perdre un être cher ; des mères en détresse s'agripper de toutes leurs forces à leur bébé mort-né. J'ai vu des hommes avec des plaies purulentes et la peau pleine de cloques, et des femmes avec des os brisés et des artères ouvertes. J'ai vu des aveugles, des sourds, des paralysés, des gens en phase terminale et d'autres qui venaient de mourir.

Au milieu de toute cette douleur, j'ai vu du courage, de la bonté et de la compassion. J'ai vu des gens faire des efforts considérables pour aider les autres ; des familles qui se rapprochaient lorsqu'elles étaient frappées par le malheur ; des amis et des voisins qui se tenaient la main. J'ai vu des hommes et des femmes faire face à la mort avec dignité, en laissant l'amour et l'affection jaillir de leur cœur brisé. J'ai vu des parents reconstruire lentement leur vie, en trouvant en eux la force de survivre et de grandir malgré tout.

Je ne cesserai jamais d'être impressionné par la grande passion que nous pouvons trouver en nous alors même que nous sommes aux prises avec une douleur immense. Les crises terribles révèlent souvent la meilleure part de nous-mêmes. Elles nous forcent à ouvrir notre cœur pour chercher ce qui se trouve à l'intérieur, à creuser en nous pour découvrir de quoi nous sommes vraiment faits.

Évidemment, personne ne souhaite faire face à un fossé de la réalité. En fait, plus ce fossé est important, plus nous le détestons et nous souhaitons désespérément nous en débarrasser. Mais nous avons tous un choix malgré tout : celui de décider de quelle façon nous y réagirons. Dans les moments de crise majeure, plusieurs sont surpris par leur réaction. Nous pouvons douter de nous ou nous blâmer pour ce qui nous arrive, tout en nous montrant à la hauteur des circonstances et en trouvant toute la force et le courage dont nous avons besoin.

Malheureusement, plusieurs d'entre nous ne découvrent ces ressources insoupçonnées que lorsque la réalité les frappe de plein fouet et leur fracasse la tête. Alors, pourquoi attendre que cela nous arrive pour agir ? Pourquoi ne pas rétablir le contact avec notre cœur dès maintenant et clarifier ce pour quoi nous voulons prendre position dans la vie, afin de pouvoir agir conformément à nos objectifs ? En agissant ainsi, nous serons préparés quand un fossé de la réalité s'ouvrira devant nous – ce qui risque de nous arriver. La préparation est une étape importante parce que lorsque nous avons le puissant sentiment d'avoir un but dans la vie, il est plus facile d'accepter paisiblement ce fossé et de faire de la place pour la douleur qui l'accompagne. Nous pouvons alors trouver la vitalité nécessaire en nous, en continuant de faire des actions utiles malgré toute notre douleur. Si nous n'avons pas le sentiment d'avoir un but dans la vie, nous pouvons beaucoup plus facilement choisir de laisser tout tomber quand notre douleur devient trop intense ; nous perdons alors l'espoir, nous nous écrasons ou nous mettons notre vie sur pause. Cependant, si nous prenons le temps de donner un certain sens à notre vie, nous serons moins susceptibles de l'abandonner lorsque les choses deviendront difficiles.

Comme je l'ai mentionné précédemment, quand je leur parle de sens, de buts et de valeurs, mes clients deviennent généralement anxieux, confus ou ne trouvent rien à dire. C'est à ce moment que je leur propose un exercice que j'appelle « Un moment doux », et qui a été créé par l'éminent psychologue Kelly Wilson, l'un de mes mentors. Je vous invite maintenant à essayer une version simplifiée de cet exercice.

UN MOMENT DOUX

Commencez par trouver un souvenir (récent ou lointain) qui, pour vous, représente un moment tendre de la vie. (Oui, même si la vie nous donne plus que notre part de tristesse et de douleur, elle nous offre aussi des moments riches et doux.) Ce souvenir n'a pas besoin d'être spectaculaire. Il peut s'agir d'un événement très important, comme cette fois où vous avez skié dans les Rocheuses ou dans les Alpes, où vous avez fait un trekking dans l'Himalaya, où vous avez tenu votre nouveau-né dans vos bras pour la première fois ou encore d'une soirée où vous avez fait l'amour passionnément avec la femme (ou l'homme) de votre vie. Cela peut aussi être quelque chose de beaucoup plus simple, comme d'être assis dans un café, en train de lire le journal en sirotant un délicieux cappuccino, de faire une balade à vélo dans le parc par une journée ensoleillée, de jouer au tennis avec un ami, de lire un livre sur la plage, de serrer un proche dans vos bras ou d'écouter votre chanson favorite. En fait, il pourra s'agir de n'importe quel moment qui capture l'essence de ce que la vie a de mieux à offrir.

Maintenant, fermez les yeux et essayez de vous souvenir de ce moment aussi fort que possible, comme s'il avait lieu ici et maintenant. Cherchez à voir si vous pouvez puiser à même cette source de tendresse. Absorbez-la et laissez-la couler en vous, appréciez la richesse de la vie comme vous l'avez ressentie à ce moment. Vous remarquez peut-être que la douceur du moment remémoré se mélange avec la douleur que vous ressentez actuellement. Vous pouvez ressentir de la nostalgie, de la tristesse ou des regrets. Cela n'a rien de surprenant, puisque ce qui est précieux à nos yeux nous cause souvent bien du tourment. Assurez-vous donc d'être ouvert lorsque vous vous rappelez ce moment et de faire de la place pour toutes les sensations qui peuvent surgir en vous : la douceur *comme* la tristesse ; le plaisir *comme* la douleur.

Quand vous atteindrez la fin de ce paragraphe, posez ce livre, redressez votre colonne vertébrale, relâchez vos épaules et poussez doucement vos pieds contre le sol. Fermez les yeux et respirez lentement et profondément. Une fois que vous serez calme et recentré, revivez le souvenir que vous avez choisi dans ses moindres détails. Prenez au moins une minute ou deux pour ce faire, ou plus encore si vous le souhaitez. Lorsque vous revivez ce souvenir, regardez autour de vous alors que vous êtes toujours plongé dans votre mémoire et explorez ce moment du passé, en remarquant ce que vous pouvez voir, entendre, toucher, goûter et sentir. Savourez pleinement la douceur du moment ; prenez le temps de la ressentir comme elle vient, et faites de la place pour les sentiments qui montent en vous à ce moment.

■ ■ ■

Alors, comment avez-vous trouvé cet exercice ? Était-il agréable ? Avez-vous ressenti de la tristesse ou d'autres émotions difficiles ? Si oui, vous êtes-vous ouvert à ces émotions en leur faisant de la place ? Ce que vous venez de faire n'était en réalité que la première partie de l'exercice. Dans la deuxième partie, vous devez retourner dans votre souvenir, prendre le temps de vous observer comme il faut et de vous poser les questions suivantes :

DANS CE SOUVENIR, QUE FAITES-VOUS?

Dans ce souvenir, comment vous comportez-vous?

Dans ce souvenir, de quelles qualités personnelles faites-vous preuve?

Dans ce souvenir, quelle est la nature de votre relation avec l'activité à laquelle vous vous adonnez: y participez-vous pleinement ou non?

Dans ce souvenir, comment vous traitez-vous et comment traitez-vous les autres et le monde qui vous entoure?

Prenez ensuite le temps de réfléchir aux questions suivantes pendant quelques minutes:

Qu'est-ce que cela révèle à propos des qualités que vous voulez incarner?

Qu'est-ce que cela suggère sur les attitudes que vous souhaiteriez idéalement adopter?

LES TROIS « C »

Pour la thérapie ACT, il n'y a pas de *bonnes* ou de *mauvaises* valeurs. Supposez par exemple que vous souhaitez être aimant, attentionné, spontané, généreux, toujours prêt à aider les autres, sensuel ou indulgent: ces valeurs ne sont pas *bonnes* d'un point de vue purement objectif. Votre groupe social peut juger vos valeurs et conclure qu'elles sont *bonnes* et qu'il s'agit donc de *vertus*. Cependant, les valeurs elles-mêmes ne peuvent pas être *bonnes* ou *mauvaises*, pas plus que notre goût pour la pizza, la crème glacée ou le vin ne peut être *bon* ou *mauvais*. Comme nos goûts personnels pour certains aliments et boissons, nos valeurs ne font que refléter nos préférences: elles décrivent la façon dont nous aimerions nous comporter de façon permanente.

C'est pourquoi aucun coach ou thérapeute suivant la méthode ACT ne songerait jamais à vous dire quelles valeurs adopter dans votre propre vie: vous seul pouvez faire ce choix. Cependant, j'aimerais partager quelques informations avec vous, dans l'espoir qu'elles puissent vous aider à clarifier ce que sont vos valeurs. Vous voyez, j'ai interrogé des milliers de personnes à propos de leurs valeurs et, même si elles utilisent des douzaines de termes différents pour les décrire, leurs réponses peuvent habituellement être classées en trois catégories principales : connexion, considération et contribution. Je suis prêt à parier que votre *souvenir doux* impliquait l'une de ces trois catégories de valeurs, sinon les trois à la fois. Permettez-moi donc de vous demander ceci : dans ce souvenir, avez-vous établi une *connexion* profonde ? (Étiez-vous tout à fait en phase avec quelqu'un d'autre, ou est-ce que vous étiez pleinement engagé dans une activité ?) Avez-vous établi un lien puissant avec une autre personne, avec un miracle de la nature, avec un type de nourriture ou de boisson, ou avec une forme d'art ? Étiez-vous absorbé par une activité donnée, qu'elle soit physique, mentale ou créative ? Étiez-vous en phase avec votre corps, vos pensées ou votre esprit ?

Dans ce souvenir, aviez-vous de la *considération* pour quelqu'un, quelque chose ou pour une activité donnée ? Votre cœur était-il complètement ouvert ? Étiez-vous en contact avec quelque chose qui a une importance considérable pour vous ? Exprimiez-vous de la considération ou de l'affection pour vous-même ou pour les autres ? Considériez-vous quelqu'un ou quelque chose comme précieux ou important ?

Dans ce souvenir, est-ce que vous *contribuiez* à quelque chose ou à la vie de quelqu'un ? Faisiez-vous quelque chose pour contribuer à votre bonheur ou à votre santé ? Apportiez-vous votre contribution à la vie des autres en les soutenant, en prenant soin d'eux, en les aidant ou en les aimant ? Preniez-vous soin de la nature ou de l'environnement ? Preniez-vous soin de votre corps, de votre cerveau ou de votre esprit ? Étiez-vous en train de créer quelque chose que les autres pourraient apprécier ? Contribuiez-vous à un effort d'équipe, de groupe ou communautaire ? Partagiez-vous quelque chose de spécial avec l'être aimé ? Aviez-vous la main tendue vers les autres, avec bonté, tendresse et amabilité ? Contribuiez-vous à propager de l'amour, de l'enthousiasme, de la curiosité, du courage ou de la créativité ?

■ ■ ■

Je dois avouer que je suis passablement nerveux alors que j'écris cette section du livre. Comme je vous l'ai mentionné plus haut, la thérapie ACT ne dit jamais quelles valeurs choisir, mais elle offre toutes sortes d'exercices pour vous aider à clarifier vos propres valeurs. (Vous trouverez l'un de ces exercices à l'annexe 3.) C'est pourquoi il m'apparaît important de souligner de nouveau que les trois C ne représentent pas les *bonnes* valeurs, pas plus qu'ils ne décrivent les *meilleures* valeurs ou celles que vous devriez adopter. Vous n'avez pas besoin d'être en accord avec elles ou de les adopter dans votre vie de tous les jours.

Cependant, les trois C *sont* des valeurs très répandues dans la société, et beaucoup de gens considèrent qu'il s'agit d'un point de départ utile pour vivre une vie qui a un but. (C'est pourquoi on les retrouve dans presque tous les parcours spirituels, religieux et de croissance personnelle, de même que dans plusieurs sociétés et dans pratiquement toutes les périodes de l'histoire de l'humanité.)

Il existe évidemment un très grand nombre de valeurs humaines. (Vous trouverez d'ailleurs une liste de cinquante-huit valeurs communes dans l'exercice de l'annexe 3 dont j'ai parlé précédemment!) Pourtant, si vous les examinez attentivement, vous constaterez que presque toutes les valeurs sont dérivées des trois C. Par exemple, des valeurs comme l'amour, la compassion, la gentillesse, l'honnêteté, l'intimité, la confiance, la créativité, l'authenticité, l'ouverture, le pardon et le courage puisent toutes leurs racines dans la connexion, la considération et la contribution. Pour clarifier cette affirmation, examinons un peu les racines de l'amour.

LES TROIS PILIERS DE L'AMOUR

Lorsque vous entendez le mot « amour », qu'est-ce qui vous vient à l'esprit? La plupart des gens considèrent qu'il s'agit d'un sentiment: une émotion de bonheur intense qui remplit notre cœur de joie. Toutefois, il est aussi possible de considérer l'amour comme une action. Par exemple, lorsque nous disons qu'une personne est « très aimante », nous ne parlons pas de ses sentiments. Nous faisons référence à la manière dont elle agit: à ses paroles, à ses actes et aux actions qu'elle accomplit. Si nous souhaitons aimer comme il faut – que nous choisissions d'aimer quelque chose ou quelqu'un, nous y compris –, nous aurons besoin des trois C pour y parvenir.

Considérez par exemple l'amour d'un parent pour son enfant. Si vous voulez être un parent aimant, alors *ressentir* de l'amour pour votre enfant ne suffira probablement pas. Il y a plein de parents dans le monde qui *ressentent* de l'amour pour leurs enfants, mais qui les négligent ou les maltraitent malgré tout. Pour être un parent aimant, il faut *agir* avec amour.

Vous devrez donc entrer en *connexion* avec votre enfant : interagir avec lui et être présent psychologiquement. (Si vous êtes distrait, indifférent ou que vous ne prêtez pas attention à ce qu'il fait, quel message lui envoyez-vous ?)

Vous devez aussi avoir de la *considération* pour votre enfant : vous devez vous soucier de son bien-être, de sa sécurité et de son bonheur ; vous devez comprendre ses peurs, ses passions et ses rêves ; vous devez savoir comment il voit le monde et comprendre ses aspirations. (Si vous n'avez pas de considération pour votre enfant, quel message lui envoyez-vous ?)

Enfin, vous devez *contribuer* à la vie de votre enfant : vous devez en prendre soin activement et le soutenir ; l'aider et l'encourager ; le rassurer et le réconforter ; lui offrir votre gentillesse, votre compréhension et votre affection ; lui donner de votre temps, de votre énergie et de votre attention. (Si vous ne lui donnez pas cela, ou trop peu de cela, alors quel message lui envoyez-vous ?)

J'espère que vous pouvez voir que la connexion, la considération et la contribution sont les trois piliers de l'amour, et qu'ils sont par conséquent incontournables si nous voulons être aimants envers un enfant, mais aussi envers un partenaire, un parent, un animal domestique, un projet, un ami, un proche, un passe-temps, une activité, l'environnement, la planète ou nous-mêmes. Lorsque vous explorerez les autres valeurs de façon aussi approfondie, vous verrez que les trois C se retrouvent presque invariablement à leur racine.

LES OBJECTIFS ET LES RELATIONS

Supposons que nous voyons notre vie comme un réseau de relations complexe et étendu : des relations avec notre corps et notre esprit, des relations avec notre famille, nos amis et nos collègues, des relations avec notre travail et notre environnement, etc. Si nous désirons vivre en poursuivant un but – et donc en prenant position pour les choses qui sont vraiment importantes pour nous –, cette représentation est un point de départ très utile. Elle nous permet de nous libérer d'histoires vaines comme : « La vie n'a aucun sens. » « Je ne sais pas quoi faire avec ma vie. » Ou encore : « Est-ce qu'il n'y a rien d'autre que cela ? » À la place, nous reconnaissons que notre vie – peu importe à quel point elle peut être merveilleuse ou affreuse – est une riche tapisserie de relations. Notre but est alors de faire en sorte que ces relations soient aussi bonnes que possible.

Si vous acceptez ce point de départ, voici ce que vous avez à faire, à tout moment, pour insuffler un certain sens à votre vie : choisissez une relation qui est importante pour vous et aidez-la à s'épanouir. Qu'est-ce que cela implique ? Vous l'avez deviné : la connexion, la considération et la contribution. Examinons cela dans le détail.

La connexion

Si nous voulons tirer le maximum d'une relation, nous devons entrer en connexion avec l'autre : participer, nous engager, être pleinement présents, être conscients et ouverts, et nous sentir concernés. Lorsque nous établissons une connexion complète avec quelqu'un ou quelque chose, notre relation devient beaucoup plus riche que si nous sommes déconnectés ou si nous avons *la tête ailleurs.*

La considération

Il y a bien peu d'espoir qu'une relation s'épanouisse si nous n'avons aucune considération pour elle. Lorsqu'elle nous tient vraiment à cœur, et que nous agissons en conséquence, la relation se porte bien. Mais si nous agissons de manière hostile, indifférente ou insensible, elle dépérit.

La contribution

Pour aider une relation à s'épanouir, nous devons y apporter notre contribution : il faut tantôt soutenir, tantôt aider, donner, prendre soin, partager, dépanner ou prêter main-forte. Si nous ne lui apportons rien, la relation en souffre.

■ ■ ■

Pour que cela soit bien clair dans votre esprit, observons trois relations différentes. Considérez d'abord la relation que vous avez avec ce livre. Est-ce que vous sentez une connexion avec les mots qu'il contient ? Participez-vous pleinement à l'expérience de la lecture ? Vous souciez-vous de ce que vous lisez ? Pensez-vous que cet ouvrage pourrait changer quelque chose dans votre vie ? Contribuez-vous à l'expérience de la lecture avec curiosité et enthousiasme ? Réfléchissez maintenant aux questions suivantes : Avez-vous déjà eu une relation avec un livre où vous ne sentiez *pas* de connexion avec les mots, où vous ne vous souciez *pas* du contenu et où vous n'aviez *pas* d'apport d'enthousiasme et de curiosité ? Si oui, diriez-vous que la relation que vous aviez avec ce livre était enrichissante et gratifiante, ou que vous aviez l'impression de perdre votre temps ?

Réfléchissez maintenant à la compassion envers vous-même, ou à la relation que vous entretenez avec vous. Celle-ci est clairement basée sur les trois C : vous êtes en parfaite connexion avec vous-même, vous avez de la considération pour votre bien-être et vous contribuez à votre bonheur en étant gentil avec vous-même.

Enfin, prenons le temps de penser à la défusion et à l'expansion. En accroissant ces habiletés, nous développons une meilleure relation avec nos pensées et nos sentiments. Nous nous soucions d'eux : nous avons de la considération pour ce qu'ils signifient et pour la façon dont ils nous affectent. Nous établissons également une connexion avec eux : nous remarquons où ils se situent, ce qu'ils font, ce à quoi ils ressemblent et ce qu'ils nous font ressentir. Finalement, nous contribuons à nos pensées et à nos émotions en leur donnant de l'espace, en leur offrant une certaine paix intérieure et en les observant avec curiosité.

■ ■ ■

Ce qu'il y a de merveilleux avec cette approche, c'est que nous pouvons *instantanément* rendre notre vie plus riche de sens. Nous n'avons pas besoin d'attendre de trouver une cause noble ou une mission qui nous guidera dans la vie, puisque nous pouvons simplement employer les trois C dans n'importe quelle relation ou dans l'ensemble d'entre elles, ici et maintenant. Dans le prochain chapitre, nous chercherons à voir comment faire cela, mais, en attendant, terminons par une citation du poète canadien Henry Drummond qui prête à réflexion :

Tu remarqueras, lorsque tu repenseras à ta vie,
que les moments durant lesquels tu as vraiment vécu sont ceux
où tu as agi dans un esprit d'amour.

CHAPITRE 16
Qu'est-ce qui compte vraiment?

Avez-vous déjà entendu l'expression disant que « c'est l'intention qui compte » ? Réfléchissons à ce dicton un instant. Qu'est-ce qui est le plus important pour vous : quand quelqu'un pense à vous acheter un cadeau pour votre anniversaire, ou quand il va vous en acheter un pour de vrai ? Dans laquelle de ces situations risquez-vous le plus d'avoir des ennuis avec la justice : si vous pensez à commettre un crime, ou si vous le commettez vraiment ? Qu'est-ce qui compte le plus pour vos enfants : que vous pensiez à être un parent aimant et toujours prêt à les aider, ou que vous le soyez réellement ? Aucun enfant n'a jamais dit : « Ce que j'admirais le plus de papa, c'est que même s'il était complètement égoïste et qu'il n'était jamais là pour moi quand j'avais besoin de lui, il avait souvent *l'intention* d'être plus présent et aimant. »

Soyons francs : ce sont nos actions qui sont importantes, pas nos intentions. C'est beaucoup mieux ainsi, d'ailleurs, parce que sinon nous serions dans une situation bien délicate. Essayez de vous rappeler toutes les pensées vengeresses et furieuses que vous avez eues dans votre vie ; toutes ces fois où vous avez pensé à faire quelque chose pour blesser quelqu'un, comme lui crier de féroces insultes, lui lancer une réplique cinglante ou faire quelque chose pour vous venger. Avez-vous déjà pensé à quitter votre partenaire ou à faire l'amour avec quelqu'un d'autre ? (Si non, vous êtes un cas très rare ; presque toutes les personnes qui sont dans une relation à long terme ont des pensées de ce genre par moments.) Et encore, ce n'est que la pointe de l'iceberg. En réalité,

nous avons tous déjà eu des pensées que nous serions extrêmement embarrassés d'admettre en public. Dans quel état serait
donc notre vie si ces pensées (ces intentions) comptaient vraiment plus que nos actions?

C'est par nos actions que nous créons notre vie, pas par nos
intentions. L'un de mes clients actuels pense sérieusement à quitter son emploi ennuyeux, insipide et peu exigeant pour suivre
une formation qui lui permettrait de devenir psychologue. Le
problème, c'est qu'il y songe sérieusement depuis plus de dix ans
déjà... et qu'il n'a toujours rien fait! N'est-il pas un peu comme
vous et moi? La plupart d'entre nous passons beaucoup trop de
temps à réfléchir à ce que nous voulons faire de notre temps sur
cette planète, et bien trop peu de temps à faire ce à quoi nous
réfléchissons.

Évidemment, en général, quand nous disons à quelqu'un
« C'est l'intention qui compte », nous le faisons dans un but bien
précis : nous voulons qu'il se sente mieux. Nous soupçonnons
cette personne de se sentir mal parce qu'elle n'a pas fait quelque
chose qu'elle considérait comme important (par exemple, nous
acheter ce fameux cadeau d'anniversaire) et nous ne voulons pas
qu'elle s'en veuille pour cela. La prochaine fois que vous serez
dans une pareille situation, pourquoi ne pas dire quelque chose
qui transmettra un message similaire, mais qui sera un peu plus
sincère et empreint de compassion, comme : « Eh bien, tu es
humain, c'est normal. Ça m'arrive aussi, des trucs comme ça. Ce
n'est vraiment pas grave. »

La prochaine fois que vous aurez l'*intention* de faire quelque
chose d'important ou de significatif dans un domaine de votre
vie, pourquoi ne pas vous poser les questions suivantes : « Y a-t-il
une petite étape que je pourrais franchir afin de m'approcher
davantage de mon objectif? Quelle est l'action la plus simple, la
plus facile et la plus petite que je pourrais faire pour améliorer
cette facette de ma vie? » Après tout, lorsque vient le moment de
créer la vie dont vous rêvez, même les plus petites des actions
vaudront mieux que des heures passées à réfléchir en vain.

C'est là que les trois C peuvent nous être d'un grand secours.
Nous avons tous un grand nombre de valeurs différentes, alors il
est facile de s'y perdre lorsque nous essayons d'analyser la meil-

leure façon de vivre une vie dans laquelle nous avons des buts. Les trois C peuvent nous aider à sortir de nos pensées pour passer à l'action, peu importe quand nous le décidons et ce que nous voulons faire. Tout ce dont nous avons besoin, c'est de nous poser ces deux questions bien simples :

- Quelle est la relation qui est la plus importante pour moi en ce moment ?
- En ce moment, que puis-je faire, par rapport à cette relation, qui impliquerait la connexion, la considération ou la contribution ?

Examinons quelques exemples pour mieux comprendre. Imaginez que la relation qui est la plus importante pour vous en ce moment est celle que vous entretenez avec vos pensées et vos sentiments. Pouvez-vous entrer en connexion avec eux, en les reconnaissant, en remarquant ce qu'ils font et en prêtant attention à la manière dont vous réagissez à leur présence ? Pouvez-vous leur accorder votre considération, en admettant qu'ils jouent un rôle important dans votre vie et qu'ils vous fournissent des informations importantes sur ce qui compte le plus à vos yeux ? Pouvez-vous contribuer à cette relation avec vos pensées et vos sentiments en leur donnant espace, paix, ouverture et curiosité ?

Imaginez maintenant que la relation qui est la plus importante pour vous en ce moment est celle que vous entretenez avec votre corps. Pouvez-vous entrer en connexion avec lui et vous montrer curieux ? Comment se sent-il ? Comment se porte-t-il ? Que fait-il ? Comment bouge-t-il ? À quels endroits est-il tendu et à quels endroits est-il plus relaché ? Où est-il fort et où est-il faible ? Qu'est-ce qui contribue à améliorer son fonctionnement et qu'est-ce qui lui nuit ? Pouvez-vous avoir de la considération pour votre corps et contribuer à son bien-être en faisant des étirements, de l'exercice, en mangeant bien, en dormant mieux, en lui offrant du repos, en lui enseignant une nouvelle habileté ou en allant marcher au parc ?

Si la relation la plus importante à vos yeux est celle que vous entretenez avec votre esprit, pouvez-vous entrer en connexion avec lui et remarquer ce qu'il fait ? Est-il en train de faire quelque chose d'utile? Est-ce qu'il rêve, se remémore des souvenirs, s'inquiète, réfléchit ou bien est-ce qu'il fait des plans? Si vous voulez avoir de la considération pour lui et contribuer à son bien-être, pouvez-vous lui donner un peu de répit? Vous pouvez aussi lui apprendre une nouvelle habileté ou lui présenter quelque chose d'intéressant comme de nouveaux livres, musiques ou films?

Et si la relation la plus importante pour vous en ce moment est votre art, votre sport, votre passe-temps, votre travail ou vos études, que se passe-t-il lorsque vous essayez d'entrer en *connexion* avec cela, lorsque vous concentrez toute votre attention sur ce qui vous occupe et que vous laissez les pensées qui peuvent vous distraire aller et venir librement? Comment votre relation changera-t-elle si vous y *contribuez* en y mettant votre enthousiasme, votre curiosité, votre courage, votre créativité et votre présence? Comment votre relation changera-t-elle si vous lui accordez toute votre *considération*, c'est-à-dire si vous prenez le temps de l'apprécier, de vous soucier davantage d'elle ou de l'approfondir?

Si la relation qui vous tient le plus à cœur est celle qui vous unit à une autre personne, alors les trois mêmes questions s'appliquent, que cette personne soit votre partenaire, votre enfant, un parent, un ami, un voisin, un élève, un enseignant, un mentor, un client, un employeur ou un collègue de travail. Comment pouvez-vous établir une connexion avec cette personne en vous montrant ouvert et curieux? Vous pouvez prêter plus d'attention à son visage, au ton de sa voix, à sa posture ou aux mots qu'elle prononce. Que pouvez-vous faire pour montrer que vous avez de la considération pour cette relation? Vous pouvez vous montrer curieux envers les émotions, les pensées, les croyances, les attitudes et les convictions de cette personne pour mieux comprendre son univers et ses besoins. Comment pouvez-vous contribuer à sa vie? Vous n'avez pas besoin d'accomplir un grand geste ou de faire quelque chose de spectaculaire: les plus petits gestes de tendresse et d'attention suffisent.

Bien sûr, si cette personne ne vous traite pas bien, vous devez reconsidérer vos priorités à l'intérieur de cette relation. D'abord et avant tout, il vous faut considérer *votre propre* bien-être et y contribuer; vous devrez faire le nécessaire pour vous protéger, vous occuper de vous et répondre à vos propres besoins. Si les mauvais traitements persistent, vous pourrez songer sérieuse-ment à mettre un terme à cette relation. (Évidemment, cela n'est pas toujours possible, et même si ça l'est, ce n'est pas toujours la meilleure option non plus. Si, par exemple, vous vous souciez d'un être cher qui est atteint d'une maladie qui le rend violent, vous ne pouvez pas complètement couper les ponts.) Quoi qu'il en soit, tant et aussi longtemps que la relation subsiste, votre priorité doit être de prendre soin de vous avant toute autre chose.

J'espère que vous comprenez mieux maintenant en quoi les trois C sont un élément vital de toute relation, que ce soit avec une personne, un animal de compagnie, Dieu, la science, la nature, l'art ou la technologie. Examinons par exemple le cas de Robert, un étudiant de vingt-deux ans qui fréquente l'université. Robert a commencé un programme d'architecture de cinq ans et il travaille à temps partiel comme serveur pour boucler ses fins de mois. Il m'a avoué qu'il déteste son emploi, mais qu'il a besoin de son salaire pour payer sa nourriture et sa chambre. Il sait que ce n'est qu'une situation temporaire (il ne lui reste plus qu'une année avant de pouvoir enfin travailler comme architecte), mais cela ne l'empêche pas de redouter chaque journée ou soirée de travail. Ce n'est pas qu'il travaille dans un endroit horrible, ou que son employeur soit méchant ; il n'aime tout simplement pas son boulot. Les seuls autres emplois à temps partiel qu'il pourrait trouver consisteraient à faire du nettoyage, à remplir des étalages ou à servir des hamburgers et des boissons, ce qui est, à son avis, encore pire que ce qu'il fait déjà.

Je lui ai donc posé des questions sur les trois C, en lui deman-dant comment ils pourraient l'aider à transformer la relation qu'il entretient avec son emploi. Que se passerait-il s'il tentait d'établir une meilleure *connexion* avec ses clients ? Quelle différence cela ferait-il s'il essayait d'être pleinement présent ? S'il prêtait atten-tion, avec ouverture et curiosité, aux vêtements que portent ses clients, à leur coiffure ainsi qu'au ton et au rythme de leur voix ? S'il observait la façon dont ils mangent, boivent et parlent ? S'il remarquait davantage leurs expressions et leurs gestes ?

Que se passerait-il s'il avait plus de *considération* pour ses clients ? S'il se souciait davantage de leur expérience au restau-rant et de la qualité de son propre service ? Inspiré par cette façon de penser, Robert a eu une idée. Il allait devenir un «maître zen du service de pizzas». Il veillerait à avoir une bonne *connexion* avec son corps pour garder la meilleure posture possible et porterait ses pizzas comme si c'étaient des œuvres d'art inestimables. Il aurait de la *considération* pour la façon dont il déposerait la pizza sur la table; il la placerait devant le client comme s'il servait un roi. En plus de tout cela, il apporterait sa *contribution* à l'expérience du client en étant chaleureux, affable et en faisant preuve d'un bon sens de l'humour.

Que s'est-il passé lorsque Robert a mis son plan à exécution? Son travail ne s'est pas transformé en «boulot de rêve» du jour au lendemain, mais il est devenu beaucoup plus gratifiant. Il ne s'agissait plus seulement de «servir des pizzas»; maintenant, Robert apportait une contribution à la vie de ses clients et de ses collègues, en plus de mettre son corps au défi, de s'engager dans le monde qui l'entourait, d'accroître ses habiletés de pleine conscience et de s'amuser en cours de route. Il a été extrêmement impressionné par l'influence que cette prise de conscience a eue sur sa vie. Terminés les appréhensions qui précédaient son travail et l'ennui qui l'accompagnait. Il n'avait pas complètement refermé le fossé de la réalité (il existait encore une grande différence entre l'emploi qu'il occupait et le travail de ses rêves), mais il avait découvert qu'il est possible de mener une vie plus épanouissante lorsqu'on se fixe des buts.

CHAPITRE 17
Les quatre approches

On ne peut traverser la mer en restant debout à contempler l'eau.
- RABINDRANATH TAGORE

Un jour, j'ai dû faire face à un fossé si important que j'avais l'impression de me tenir au bord d'un abîme. Mon fils adoré, qui n'avait alors que deux ans, avait reçu un diagnostic à vous glacer le sang : il était autiste. Mon esprit et mon corps étaient profondément choqués, remplis d'effroi. Après avoir fait les efforts voulus pour être pleinement présent et pour me traiter avec compassion, qu'est-ce que je pouvais faire de plus ?

Lorsque la réalité nous frappe violemment, nous avons tendance à battre en retraite. Cela ne devrait pas nous surprendre : c'est une réaction tout ce qu'il y a de plus naturelle. Nous utilisons les méthodes que nous connaissons pour essayer de nous extirper d'une situation difficile, qu'il s'agisse d'écouter des films ou de la musique ou de boire de l'alcool et de consommer de la drogue. Même si nous ne nous évadons que l'espace d'un moment, le soulagement ressenti est immense. Cependant, il faut comprendre qu'une vie passée en perpétuelle retraite n'est pas gratifiante. Si nous luttons du matin au soir contre la réalité, nous aurons tôt fait d'être épuisés. Si nous voulons vraiment nous épanouir alors que nous faisons face à un important fossé de la réalité, nous n'avons pas d'autre choix que de prendre position pour quelque chose ; nous devons nous ouvrir à la vie telle qu'elle est en ce moment et nous consacrer à quelque chose qui est très important à nos yeux.

Cette capacité qu'ont les humains de vivre des vies riches et pleins de sens malgré le tumulte et l'adversité est souvent appelée la *résilience*. Il existe une grande quantité de recherches scientifiques sur la résilience, mais nous pouvons les résumer en une formule toute simple que j'ai appelée, sans grande originalité, la *formule de la résilience*.

LA FORMULE DE LA RÉSILIENCE :
QUATRE APPROCHES POUR RÉSOUDRE TOUTES
LES SITUATIONS PROBLÉMATIQUES

Dans toute situation problématique, il y a quatre approches possibles à considérer :

- sortir de la situation ;
- rester et changer ce qui peut être changé ;
- rester, accepter ce qui ne peut être changé, et vivre en accord avec nos valeurs ;
- rester, arrêter d'essayer, et faire des choses qui empirent la situation.

Examinons chacune de ces options tour à tour.

1. Sortir de la situation

Sortir de la situation n'est pas toujours possible. Si, par exemple, vous êtes en prison, vous ne pouvez pas vous en aller quand bon vous semble. Très souvent, cependant, sortir de la situation *est* possible. Si vous êtes pris dans un mariage dysfonctionnel, dans un emploi pénible et insoutenable ou dans un quartier qui ne vous convient pas, la question suivante mérite d'être considérée : est-ce que votre qualité de vie globale serait meilleure si vous sortiez de la situation ou si vous y restiez ? Évidemment, il est rarement possible de répondre à une telle question avec certitude, mais vous pourrez faire une prédiction raisonnable en vous basant sur ce qui vous est arrivé jusqu'à présent.

2. Rester et changer ce qui peut être changé

Vous pourrez choisir d'écarter la première option pour toutes sortes de raisons. Par exemple, certaines personnes refuseront toujours de briser leurs vœux de mariage, peu importe si celui-ci se porte bien ou non. Elles *pourraient* partir, mais elles choisissent de ne pas le faire. Si vous choisissez de demeurer dans une situation difficile – ou si vous n'avez pas d'autre choix que d'y rester –, alors vous devez faire tout ce qui est possible pour l'améliorer. En d'autres mots, s'il existe une façon de refermer ce fossé – sans en créer de nouveaux qui seraient encore plus grands –, il faut agir en ce sens.

Il y a bien entendu des fossés de la réalité qu'il n'est *pas* possible de refermer, comme la mort d'un être aimé ou une invalidité permanente. Cependant, la plupart des fossés *peuvent* être fermés, ne serait-ce que partiellement. Si nous ne sommes pas en forme ou que nous avons un excès de poids, si nous souffrons d'une maladie curable, si nous négligeons notre famille ou nos amis, si nous sommes dépendants à quelque chose ou si nous sommes plongés dans une crise financière, nous *pouvons* agir pour refermer le fossé auquel nous faisons face. Pour certains autres fossés, nous ne savons simplement pas ce que nous pouvons faire – il nous est impossible de savoir s'ils peuvent être refermés ou non. Dans certains cas, la seule façon d'en avoir le cœur net est de faire de notre mieux pour le refermer, et de voir ce qui se produit.

Que le fossé puisse ou non être refermé, il n'en demeure pas moins que nous devons agir dans un sens ou dans l'autre, puisque tant et aussi longtemps que nous respirons, la vie continue. Nous pouvons donc choisir activement la direction que nous voulons prendre ou suivre le courant passivement. Vous ne serez pas surpris d'apprendre que le choix d'agir en accord avec nos valeurs profondes est celui qui est le plus stimulant; nous guidons alors notre vie dans une direction qui a du sens pour nous.

Comment procédons-nous, dans ce cas? Nous utilisons nos valeurs pour nous aider à établir des objectifs, tout simplement. Nous déterminons des buts qui nous aideront à nous rapprocher de la vie que nous souhaitons mener à court, moyen et long terme. (Il faut noter qu'établir des objectifs n'est pas toujours évident quand nous n'y sommes pas habitués, la plupart d'entre nous n'étant pas naturellement doués pour le faire. Si vous avez besoin d'aide, je vous invite à consulter l'annexe 4, où vous pouvez suivre les différentes étapes une à une pour passer au travers de ce processus.) Une fois que vous avez établi vos objectifs, le temps est venu de passer à l'action!

Hélas, nous ne pouvons pas savoir à l'avance si nous atteindrons nos objectifs. Cela ne devrait toutefois pas nous empêcher de commencer à agir dès maintenant. Dès que nous commencerons à le faire, nous ressentirons un sentiment de responsabilité et de vitalité; nous sentirons que nous embrassons pleinement la vie en choisissant d'en tirer le meilleur parti possible, plutôt que de la laisser passer passivement sans rien faire.

3. Rester, accepter ce qui ne peut être changé, et vivre en accord avec nos valeurs

Si vous avez choisi de rester – ou si vous êtes obligé de le faire – et que vous avez fait tout ce que vous avez pu pour améliorer la situation, vous devez ensuite vous exercer à accroître votre acceptation. Acceptez tous les sentiments douloureux qui montent en vous : ouvrez-vous et faites-leur de la place. Acceptez le fait que votre esprit a beaucoup de choses à dire, dont plusieurs qui ne vous sont pas utiles : défusionnez d'avec tous ces jugements sévères que vous portez sur vous-même et d'avec les histoires négatives que vous entretenez à votre égard et donnez-leur tout l'espace dont ils ont besoin pour aller, venir et partir quand bon leur semble. Sortez de l'emprise du smog psychologique et engagez-vous totalement dans le moment présent. Choisissez de vivre en fonction de vos valeurs et participez pleinement à la vie, sans égard aux défis auxquels vous faites face.

(Remarque : En général, les options 2 et 3 se produisent simultanément. Je les ai simplement présentées dans cet ordre pour mettre l'accent sur l'importance d'agir. Gardez aussi à l'esprit que si vous choisissez la première option (c'est-à-dire de sortir de la situation), il sera important, *tout en sortant*, de mettre en pratique les options 2 et 3 : changez ce qui peut être changé, acceptez ce qui ne peut pas l'être et vivez en accord avec vos valeurs).

4. Rester, arrêter d'essayer, et faire des choses qui empirent la situation

Nous avons tous choisi cette option à quelques reprises dans notre vie. La plupart d'entre nous la choisissons plusieurs fois d'affilée! Il arrive trop souvent que nous restions dans des situations problématiques, sans faire tout ce qui est en notre pouvoir pour améliorer notre sort et sans nous exercer à accepter ce que nous ressentons de façon à vivre davantage en accord avec nos valeurs. Nous choisissons plutôt de faire des choses qui empirent la situation : nous nous inquiétons, nous ruminons et nous blâmons tout le monde et son voisin ; nous marchons de long en large, nous tapons dans les murs, nous crions, nous nous plaignons et nous pleurons ; nous cherchons un certain réconfort dans l'alcool, la drogue ou les biscuits au chocolat! Nous entrons en conflit avec nos proches, nous les épuisons à force de nous plaindre de nos malheurs, ou de déverser notre amertume et notre désespoir à leur porte. Nous nous retirons du monde, nous passons nos journées au lit ou nous restons scotchés devant la télévision. Nous mettons notre vie sur pause en laissant nos problèmes engloutir tout notre temps. Nous pouvons songer à l'automutilation ou au suicide. Toutes ces actions drainent la vie de nos veines. Il n'y a aucun épanouissement qui soit à chercher dans cette quatrième option.

■ ■ ■

La vie de Nelson Mandela nous fournit un excellent exemple de la mise en application de la formule de la résilience. Il a été emprisonné pendant vingt-sept ans par le gouvernement de l'Afrique du Sud. Pourquoi? Parce qu'il a osé se battre pour la liberté et la démocratie, parce qu'il s'est opposé à l'apartheid et aux politiques discriminatoires et racistes de son gouvernement. Lorsque, comme lui, on fait face à un fossé de la réalité pendant autant d'années, la première option peut d'emblée être rejetée : Mandela ne pouvait *pas* sortir de la prison. La deuxième option était également impossible la plupart du temps : il n'y avait que bien peu de choses qu'il puisse faire pour améliorer ses conditions de vie. Dans l'ensemble, il a donc choisi la troisième option. Il a accepté ses pensées et ses sentiments difficiles, il s'est plongé dans le moment présent et il a vécu en accord avec ses valeurs, en prenant position pour la liberté, l'égalité et la paix. Ainsi, durant les dix-sept premières années de son incarcération, à Robben Island, Mandela a dû faire des travaux forcés dans une carrière de chaux. Il a cependant utilisé cette situation à son avantage. Vous voyez, Mandela savait que l'éducation est un préalable essentiel à l'égalité et à la démocratie, alors il organisait des rencontres illégales dans les tunnels de la mine, durant lesquelles les prisonniers les plus éduqués enseignaient leur savoir aux autres. (On a par la suite utilisé l'expression « université de Mandela » pour décrire ces rencontres.)

L'un des événements les plus remarquables de l'histoire de Mandela a eu lieu en 1985, alors qu'il avait déjà passé vingt-deux ans en prison. Le gouvernement sud-africain lui a alors proposé de le libérer... ce qu'il a refusé! Pourquoi? Parce que les conditions de sa libération l'obligeaient à garder le silence; il n'aurait pas le droit de prendre la parole contre l'apartheid. Naturellement, en acceptant une telle proposition, Mandela serait allé à l'encontre de ses valeurs fondamentales, alors il a plutôt choisi de demeurer en prison. Cela signifiait qu'il devrait passer *cinq autres années* derrière les barreaux avant de pouvoir finalement recouvrer une liberté sans condition! Malgré tout, et en dépit de ce fossé immense, il a été capable de trouver une forme de gratification en prenant position pour ce qui lui tenait vraiment à cœur: la liberté, l'égalité et la démocratie.

La situation de Nelson Mandela est hors du commun, mais la formule s'applique à chacun d'entre nous, quelle que soit notre situation. Par exemple, si vous considérez que votre mariage ou votre emploi est épouvantable, vous pourrez songer à en sortir. Si vous choisissez de rester, faites tout ce que vous pouvez pour améliorer les choses. Si vous jugez encore que la situation est épouvantable après cela, acceptez qu'elle ne pourra pas être changée (cela vaut aussi pour toutes les pensées et tous les sentiments déplaisants qui peuvent en résulter) et vivez en accord avec vos valeurs: soyez la personne que vous voulez être et prenez position pour quelque chose qui est important à vos yeux face à ce fossé de la réalité.

Lorsque je présente ces options à mes clients, la plupart d'entre eux se sentent soudain plus forts : cela les aide à comprendre qu'ils ont des choix. Cependant, certains ont une violente réaction négative : il s'agit en général d'un mélange de colère et d'anxiété. Pourquoi réagissent-ils ainsi ? Habituellement, c'est parce qu'ils trouvent cette réalité trop difficile à affronter. La formule de la résilience nous oblige à voir les choses en face : nous avons des choix, et nous sommes donc responsables de la façon dont nous agissons. La quatrième option nous procure un bref soulagement en nous laissant croire l'histoire selon laquelle « c'est trop difficile ». Il ne nous reste plus alors qu'à abandonner, puisque nous ne pouvons rien y faire. Évidemment, ce réconfort ne peut durer bien longtemps. À long terme, cette option nous fait perdre la vie qui est en nous. Notre vitalité repose uniquement sur notre décision de prendre position en choisissant l'une des trois premières options. Toutefois, nous ne ressentons cette vitalité que lorsque nous prenons position avec une qualité nommée *bonne volonté*.

Qu'est-ce vraiment que la *bonne volonté* ? Le psychologue Hank Robb la définit en donnant l'exemple suivant. Imaginez que vous devez donner quinze dollars pour acheter un billet de cinéma. Soit vous donnez l'argent au caissier avec ressentiment ou à contrecœur, soit vous le lui remettez avec bonne volonté. Dans un cas comme dans l'autre, vous devrez lui donner votre argent. Quand vous le faites avec bonne volonté, votre expérience – comme la sienne – sera beaucoup plus gratifiante que si vous le faites à reculons.

Lorsque vous prenez position pour quelque chose qui vous tient à cœur, faites-le avec bonne volonté. Si vous prenez position alors que vous êtes fusionné à l'idée de *ne pas avoir le choix* ou en vous disant : « Je déteste avoir à faire ça », « Je ne devrais pas avoir à faire ceci », « C'est bien ma veine, ça », « Je dois le faire : c'est mon devoir », vous vous sentirez accablé, privé de votre libre arbitre et épuisé. Souvenez-vous que les mots « devoir », « obligation » et « impératif » ne devraient pas être associés aux valeurs. Ils ne font que transformer nos valeurs en règles étouffantes.

Si vous vous sentez épuisé, accablé ou plein de ressentiment alors que vous prenez position, essayez de reconnaître l'histoire nuisible qui vous a accroché. Une fois que vous serez parvenu à vous en défaire et que vous aurez pu revenir à vos valeurs, vous verrez que vous avez *bel et bien* un choix. Vous *pouvez* prendre position pour quelque chose… ou ne pas le faire. Vous n'y êtes certainement pas *obligé*. La grande question, c'est : « Êtes-vous *prêt* à le faire ? » Demandez-vous : « Ai-je la *volonté* de prendre position face à ce fossé ? Ai-je la *volonté* d'agir de façon conséquente, même si cela peut générer des pensées et des sentiments douloureux ? »

Vous vous demandez peut-être comment j'ai appliqué la formule de la résilience lorsque j'ai appris que mon enfant était autiste. Eh bien, j'ai immédiatement mis la première option de côté. J'avais entendu trop d'histoires tristes à propos de parents qui avaient abandonné leurs enfants pour vouloir devenir l'un d'entre eux à mon tour ! Quant à la quatrième option, comme vous le savez, cela a été ma réaction initiale, mais cela n'a servi qu'à compliquer les choses un peu plus.

Lorsque j'ai finalement jeté l'ancre, il ne me restait que les options 2 et 3 : changer ce qui pouvait être changé, accepter ce qui ne pouvait l'être et vivre en fonction de mes valeurs. C'est exactement ce que j'ai choisi de faire. Les valeurs auxquelles j'ai décidé de me conformer pour le reste de mes jours étaient les suivantes : l'amour, la patience, la persévérance, le courage et la compassion. Guidé par ces valeurs, j'ai entrepris de changer tout ce que je pouvais, et de refermer autant que possible le fossé de la réalité.

J'ai passé Internet au peigne fin et je suis entré en contact avec toutes sortes de professionnels pour savoir ce qu'il convenait de faire. Le problème, quand il est question de l'autisme (et de tous les autres troubles, d'ailleurs !), c'est qu'il y a tellement de gens qui vantent leurs traitements qu'il est difficile de séparer le vrai du faux et de s'y retrouver. Les sites Web parlent d'une grande variété d'approches, et les professionnels charismatiques ne jurent que par leurs méthodes, en plus de fournir une quantité d'anecdotes inspirantes provenant des nombreux individus qui ont eu recours à leurs services. Dans ces circonstances, comment pouvons-nous savoir quelle est la meilleure chose à faire ? Eh bien, la triste vérité, c'est que nous ne pouvons jamais en être sûrs. Nous devons faire un choix.

Sur quoi fonder ce choix, alors ? Ma femme et moi avons décidé de nous baser sur les meilleures preuves scientifiques que nous pourrions trouver. Nous avons vite découvert qu'il n'existe qu'une approche scientifiquement reconnue qui donne des résultats positifs, significatifs et durables (sans médication) chez la majorité des enfants qui la suivent. C'est l'analyse du comportement appliquée. Cette méthode consiste à favoriser chez l'enfant autiste l'apprentissage des habiletés qui lui font défaut : les habiletés de réflexion, de langage et de communication, de jeu, ainsi que les habiletés sociales et d'attention. En gros, il s'agit de «rétablir les connexions du cerveau» pour lui permettre de fonctionner plus normalement. (Si vous désirez davantage d'informations sur l'analyse du comportement appliquée, vous pouvez consulter l'annexe 5.)

Nous avons aussi découvert que le meilleur programme d'analyse du comportement appliquée auquel nous avions accès, le programme Lovaas, comportait une équipe de thérapeutes travaillant seul à seul avec le patient de trente à quarante heures par semaine, durant une période de trois à quatre ans. Cela nous a placés face à un terrible dilemme. Imaginez un enfant de deux ans travaillant six heures par jour, cinq jours par semaine, pour essayer d'apprendre de peine et de misère toutes ces habiletés essentielles. C'est une charge de travail énorme pour un si jeune garçon ! Serions-nous vraiment capables d'imposer ce fardeau à notre enfant ? Le programme était également très exigeant pour les parents puisqu'ils devaient faire une grande partie du travail par eux-mêmes, en dehors des «heures de thérapie». Ma femme et moi avons eu toute la peine du monde à prendre une décision. Nous étions tous les deux très anxieux. Et si cela ne fonctionnait même pas ? Si notre enfant n'arrivait pas à suivre ce rythme effréné ? Et si, *nous-mêmes*, nous n'étions pas capables de suivre ce rythme effréné ?

Malgré tous nos questionnements, nous avons fini par faire de la place en nous pour nos peurs et nos inquiétudes, et nous avons inscrit notre fils dans un excellent programme d'analyse du comportement appliquée à Melbourne (appelé *Learning For Life*). Après la première *journée* qu'il a passée dans ce centre, nous avons pu déjà observer des améliorations significatives chez lui.

Par la suite, les choses ont évolué très rapidement. En quelques semaines à peine, le vocabulaire de notre petit garçon était passé d'une dizaine à une centaine de mots, il avait commencé à établir un contact visuel avec nous, il avait appris son nom et il comprenait de plus en plus ce que nous disions.

Nous étions aux anges.

Bien sûr, nous avons eu beaucoup de chance à plusieurs égards. L'analyse du comportement appliquée n'est pas offerte dans plusieurs parties du monde, et, dans celles où elle l'est, plusieurs personnes n'ont pas les moyens d'y inscrire leur enfant, car les coûts sont considérables! Par ailleurs, ce ne sont pas non plus tous les enfants qui y réagissent aussi bien que notre fils.

Tous nos rêves n'étaient pas devenus réalité pour autant. Le fossé qui séparait ce que nous avions de ce que nous voulions s'était certes un peu refermé, mais il était tout de même encore énorme. Notre fils avait toutes sortes de problèmes, non seulement sur le plan cognitif, mais également sur le plan physique. Il avait d'importants déficits en matière d'équilibre, de coordination, de force musculaire, d'habiletés motrices... et il ne marchait toujours pas! Ma femme et moi avions aussi beaucoup de problèmes : nous étions éprouvés par la charge financière que représentait le traitement, par le stress que suscitait le programme lui-même, par les peurs et le chagrin qui ne nous quittaient pas et, surtout, par les répercussions énormes que tout cela avait sur notre couple. (J'ai par la suite découvert, sans surprise, que les taux de divorce sont très élevés chez les parents d'enfants ayant ce genre de troubles.)

C'est *alors* que nous avons trouvé quelque chose qui a encore fait grimper notre niveau de stress. Nous avons appris qu'il existait un nouveau type de programme d'analyse du comportement appliquée basé sur la *théorie des cadres relationnels*. Je connaissais déjà les préceptes de cette théorie, puisqu'il s'agit de la théorie du comportement et de la cognition sur laquelle s'appuie la thérapie ACT, mais j'ignorais que la théorie des cadres relationnels avait également de profondes implications dans le traitement de l'autisme. Étant donné qu'il serait trop long de vous expliquer pourquoi et comment, je me contenterai simplement de dire que la théorie des cadres relationnels accélère de façon spectaculaire les programmes d'analyse du comportement appliquée et produit de meilleurs résultats en bien moins de temps. (Si vous voulez en savoir plus à ce sujet, consultez l'annexe 5.)

Pourquoi cette découverte nous a-t-elle causé tant de stress, alors ? Parce qu'il n'existait qu'un programme de ce genre en Australie, et qu'il se donnait de l'autre côté du continent sur lequel nous vivions, dans la ville la plus isolée du monde : Perth.

Nous avons donc hésité, nous nous sommes inquiétés et avons discuté encore et encore pour savoir si nous allions déménager ou non. Étions-nous prêts à faire nos bagages pour aller nous établir dans une ville où nous ne connaissions personne ? Le jeu en valait-il la chandelle ? Après tout, notre fils faisait déjà des progrès considérables. Son programme d'analyse du comportement appliquée à Melbourne était vraiment excellent. Est-ce que nous avions vraiment besoin de déménager ?

En même temps... si la théorie des cadres relationnels donnait de meilleurs résultats que les méthodes traditionnelles de l'analyse du comportement appliquée, si elle pouvait vraiment améliorer la vie de notre fils, comment pourrions-nous l'empêcher d'en bénéficier ?

Au bout du compte, nous avons décidé de partir pour Perth. Comme prévu, cette expérience s'est avérée stressante à plusieurs égards. Pourtant, malgré les difficultés, les épreuves et les tourments, ma femme et moi savions que nous prenions position pour quelque chose d'important à nos yeux. Peu importe ce qu'il adviendrait, nous savions que nous pourrions regarder en arrière en disant : « Nous n'avons jamais lâché. Nous n'avons pas perdu espoir. Nous avons fait tout ce qui était possible pour aider notre fils. » En soi, c'était déjà là une source de gratification suffisante.

Heureusement, notre déménagement à Perth s'est très bien déroulé. Notre fils a excellé dans son nouveau programme, grâce aux soins du psychologue Darin Cairns. Ses habiletés langagières, sociales et de compréhension se sont améliorées à un rythme époustouflant. Nous avions prévu de demeurer à Perth pendant trois ans, mais nous avons dû arrêter le programme après dix-huit mois. Pourquoi ? Parce que notre enfant s'était amélioré à un point tel qu'*il ne répondait plus aux critères diagnostiques de l'autisme.* Nous croyions être témoins d'un miracle lorsque nous regardions notre fils de quatre ans et demi courir dans la cour de récréation, un sourire accroché aux lèvres, s'arrêtant pour parler aux autres enfants, pour rire et jouer avec eux. Il était difficile de croire qu'à deux ans, ce même garçon ne savait pas marcher, parlait à peine et ne connaissait pas son propre nom.

Pourtant, même si cela avait toutes les apparences d'un miracle, ce n'en était pas un. C'était le résultat d'efforts considérables et d'actions engagées et guidées par un ensemble de valeurs bien définies. Notre route sera par ailleurs encore parsemée d'embûches. En effet, même si notre fils n'est plus autiste – d'aucune façon que ce soit –, il est encore aux prises avec des problèmes persistants, comme des difficultés d'apprentissage, des niveaux de stress élevés et des troubles sociaux. Lorsque tout cela devient un peu trop dur à gérer, je prends le temps de jeter l'ancre et de revenir à mes valeurs. Je me rappelle alors ce qui me tient à cœur dans mon rôle de père : l'amour, la patience, la persévérance, le courage et la compassion. Lorsque je choisis consciemment d'agir en accord avec ces valeurs, même les plus petites de mes actions sont motivées par un but précis.

Remarque : Je ne voudrais pas que ce livre devienne le lieu d'une discussion sur les divers traitements de l'autisme. Cependant, en écrivant ces lignes, je ne peux m'empêcher de penser qu'il y a forcément parmi mes lecteurs des parents d'enfants autistes, et qu'ils pourraient éprouver de l'envie, du ressentiment ou d'autres émotions douloureuses en lisant ce que j'ai écrit sur les résultats qu'a obtenu mon fils. Si tel est le cas, n'oubliez jamais qu'il est parfaitement naturel d'avoir de telles réactions émotives. Ne soyez donc pas trop dur avec vous-même. Faites de la place pour votre douleur et soyez bon avec vous-même. Ces émotions ne font que montrer à quel point vous vous souciez du bien-être de votre enfant.

CHAPITRE 18
Saisir une braise ardente

Êtes-vous parfois aux prises avec un ressentiment tenace ? Cela arrive à beaucoup d'entre nous, surtout après un choc de la réalité. Nous en voulons aux autres parce qu'ils nous ont laissés tomber, parce qu'ils ne nous ont pas traités avec beaucoup d'égards, parce qu'ils ne se sont pas souciés de nous, parce qu'ils ont mieux réussi que nous, parce qu'ils sont *meilleurs* que nous ou pour des dizaines d'autres raisons. Le ressentiment n'est rien d'autre qu'une version particulièrement tenace de l'histoire disant que nous ne sommes *pas assez bons*; une version contenant beaucoup trop de colère, d'attitude moralisatrice et de sentiment de profonde injustice.

Lorsque je me laisse prendre par le ressentiment, je constate qu'il me ramène toujours vers des combats contre-productifs. Dans le bouddhisme, on dit à ce sujet : « Accepter le ressentiment, c'est comme saisir une braise ardente pour la jeter à quelqu'un d'autre. » Les Alcooliques anonymes (AA) ont un dicton similaire : « Céder au ressentiment, c'est comme avaler du poison en espérant qu'une autre personne en meure. » Le point commun entre ces maximes, c'est qu'elles affirment toutes les deux que lorsque nous nous laissons prendre au piège du ressentiment, nous ne faisons que nous causer encore plus de mal.

Le mot « ressentiment » est dérivé de « ressentir », qui signifie « sentir de nouveau ». C'est logique : chaque fois que le ressentiment nous prend, nous *ressentons de nouveau* notre douleur, notre colère et notre sentiment d'avoir été traités injustement. Les événements auxquels nous pensons se sont produits dans le passé, mais nous continuons à les ressasser dans le moment présent. Nous ressentons de nouveau la même douleur. Évidemment, lorsque nous ruminons ainsi notre colère et notre insatisfaction, notre vitalité nous échappe lentement mais sûrement.

L'autocondamnation donne lieu à une histoire similaire, que l'on pourrait considérer comme du ressentiment à notre propre égard. Dans ce cas, notre esprit nous rappelle à maintes et maintes reprises toutes les choses que nous n'avons pas faites comme il faut. Nous finissons alors par être en colère et par nous juger sévèrement ou par nous punir. Nous *ressentons de nouveau* notre douleur, nos regrets, notre colère, notre déception et notre anxiété. Bien sûr, cela ne peut en rien modifier le passé, pas plus que cela ne nous permet d'en apprendre davantage sur nous ou de grandir en réfléchissant aux erreurs commises. Encore une fois, tout ce que nous pouvons espérer obtenir, c'est de nous blesser encore davantage.

Quel est donc l'antidote au ressentiment et à l'autocondamnation? Le pardon… mais pas comme nous l'envisageons communément. Dans la thérapie ACT, le pardon ne s'accompagne *pas* de l'oubli. Cela ne signifie pas que ce qui s'est passé était correct, excusable, insignifiant ou sans importance. Il n'est pas non plus nécessaire de dire ou de faire quoi que ce soit à une autre personne.

Pour comprendre comment la thérapie ACT voit la notion du pardon, penchons-nous un peu sur les origines de ce mot. «Pardon» est dérivé du terme latin «*perdonare*», qui rassemblait deux mots: *per* (pour) et *donare* (donner). Dans la thérapie ACT, le pardon retrouve cette signification originelle: nous nous *donnons* à nouveau ce que nous avions avant que les *mauvaises choses* ne nous arrivent, *pour* retrouver notre condition initiale. À un certain moment dans le passé – récent ou lointain –, quelque chose de très douloureux vous est arrivé. Soit *vous* avez commis une action pour laquelle vous vous blâmez aujourd'hui, soit *quelqu'un d'autre* vous a fait quelque chose qui suscite maintenant votre ressentiment. Depuis ce moment, votre esprit n'a cessé de vous faire revisiter ces événements, vous forçant au passage à revivre la douleur qui y est attachée, encore et encore.

Comment était votre vie avant que ces événements ne surviennent ? Est-ce que vous aviez une vie heureuse et pleinement épanouie ? Viviez-vous dans le moment présent ? Si votre vie n'était *pas* très bonne avant ces événements, au moins vous n'étiez pas perdu dans le smog étouffant du ressentiment ou de l'auto-condamnation. Pourquoi ne vous redonneriez-vous pas la clarté et la liberté dont vous jouissiez avant que votre vie ne soit embrouillée par tout ce smog ? Vous voyez, dans la thérapie ACT, le pardon n'a rien à voir avec les autres ; il s'agit de quelque chose que nous faisons purement et simplement pour nous. Nous nous rendons ce que nous avions avant : une vie qui n'était pas encombrée par le ressentiment ou la culpabilité.

Comment pouvons-nous cultiver ce type de pardon ? Vous avez déjà en main toutes les habiletés et les connaissances dont vous avez besoin. Lorsque notre esprit produit des histoires qui nourrissent notre ressentiment ou notre culpabilité, la première étape consiste à reconnaître ces histoires et à les nommer. Nous pouvons nous dire par exemple : « Voilà mon esprit qui revient me rappeler un souvenir douloureux. » « Ça, c'est un souvenir difficile de mon passé. » « Mon esprit s'amuse à juger les autres. » Ou bien : « Mon esprit essaie encore de m'attirer dans un combat contre-productif. » Il est important, à cet instant, de se traiter avec considération. Peu importe si nous croyons être en tort ou non, ou si quelqu'un d'autre est à blâmer, ce qui est indéniable, c'est que nous souffrons. Soyons par conséquent bons et pleins de compassion envers nous-mêmes et traitons-nous avec les égards que nous méritons, avant de faire de la place à nos sentiments et d'entrer pleinement dans le moment présent.

Nous aurons souvent besoin, par la suite, de jeter l'ancre. Notre esprit continuera de nous faire revisiter ces événements passés, et nous devrons faire des efforts conscients pour revenir vers le présent : pour reprendre contact avec ce qui se passe ici et maintenant. Une fois que nous serons présents, nous pourrons agir en accord avec nos valeurs et avec les buts que nous poursuivons. Nous pourrons alors prendre position face à ce fossé de la réalité.

Si, par exemple, nous avons réellement fait quelque chose de *mal*, de *nuisible* ou d'*inconscient* – s'il ne s'agit donc pas simplement de ce que nous laisse croire notre esprit critique –, alors nous serons prêts à prendre position et à faire amende honorable. Michael, l'un de mes clients qui était alcoolique et qui avait fait la guerre du Vietnam, m'a dit que, dans son cas, c'était impossible : il avait tué plusieurs personnes durant la guerre et il ne pourrait jamais racheter cette faute. Il aurait été difficile de discuter de telles paroles et je n'ai pas essayé de le faire. Je lui ai plutôt dit ceci : « Vous pouvez continuer à vous en vouloir et à boire jusqu'à ce que mort s'ensuive, mais cela ne changera jamais le passé. Il est évident que vous ne pourrez jamais vous racheter auprès de ceux qui sont morts aujourd'hui ; on ne peut *rien* faire pour les morts. Cependant, vous *pouvez* faire quelque chose, dans le présent, pour apporter une contribution significative à ceux qui *vivent*. Si vous choisissez de gaspiller votre vie, alors les horreurs du passé n'auront servi à rien. Par contre, si vous profitez de la vie qu'il vous reste pour contribuer au monde qui vous entoure et pour être un agent de changement positif, alors il y aura *bel et bien* quelque chose de positif qui aura été provoqué par ces horreurs. »

Pour Michael, cela a été une révélation. Il a eu besoin de beaucoup d'entraînement, mais, à la longue, il a été capable de se libérer des histoires dans lesquelles il se blâmait sans cesse, pour enfin se traiter avec les égards qu'il méritait. En l'espace de neuf mois, il avait rejoint un groupe d'Alcooliques anonymes, il avait cessé de boire et il avait commencé à faire du bénévolat pour deux organismes : l'un s'occupait de sans-abri et l'autre de réfugiés. Tout cela n'a pourtant pas été facile pour lui, loin de là. Il a dû déployer des efforts considérables et faire de la place en lui pour une douleur immense. Heureusement, ces efforts n'ont pas été vains. S'il a accepté qu'il ne pouvait pas changer le passé, il a toutefois découvert qu'il pouvait apporter énormément de choses à ses semblables dans le présent – ce faisant, sa vie est devenue beaucoup plus enrichissante et valorisante.

Bien qu'il arrive à la plupart d'entre nous de se retrouver pris dans des histoires culpabilisantes, elles ne sont généralement pas aussi terribles que celle de Michael ; après tout, la plupart des gens n'ont jamais tué personne ! Cela ne signifie pas pour autant que nos histoires représentent un fardeau plus facile à porter. Peu importe la nature de nos histoires, nous devons absolument nous traiter avec gentillesse – même si notre esprit nous dit que nous ne le méritons pas. Il s'avère habituellement utile de se dire des mots gentils, comme : «Je suis un être humain et je ne suis pas infaillible. Comme toutes les autres personnes qui vivent sur cette planète, il m'arrive de faire des erreurs. Cela fait partie de l'expérience humaine.» Placez ensuite votre main sur votre corps dans un geste plein de compassion, puis respirez dans la douleur et reconnaissez que cela fait mal. Rappelez-vous que les punitions que nous nous infligeons ne servent à rien; la vitalité ne peut venir que par l'acte de prendre position. Si vous pouvez agir d'une manière ou d'une autre pour faire amende honorable, racheter vos torts ou changer les choses, n'hésitez pas à aller de l'avant et à faire ce qu'il faut. Cependant, si cela vous est impossible (ou si vous n'êtes pas encore *prêt* à le faire), alors vous pouvez investir votre énergie dans la construction de vos relations : établissez des liens, soyez attentionné envers vos proches et apportez une contribution à leur vie. Tous ces gestes constituent des actes de pardon dirigés vers soi.

Que faire, en revanche, si c'est quelqu'un d'autre qui a fait de *mauvaises actions*? Eh bien, nous pouvons réagir de plusieurs façons différentes, en fonction des circonstances de chaque situation et des résultats que nous cherchons à obtenir. Nous pouvons choisir de prendre des mesures décisives pour s'assurer, autant que possible, que cela ne se reproduira plus : poursuivre cette personne en justice, porter plainte contre elle ou couper tout contact avec elle. Nous pouvons également choisir d'apprendre de nouvelles habiletés afin d'être mieux équipés pour affronter de telles personnes à l'avenir; il pourrait s'agir de cours d'autodéfense, de techniques d'affirmation de soi et de communication, ou encore d'un cours portant sur la manière de se comporter face à des personnes difficiles. Nous pourrions aussi, plus simplement, choisir de *laisser tout cela derrière nous* pour nous concentrer sur la nécessaire reconstruction de notre vie, ici et maintenant.

Le pardon, alors, passe par ces trois étapes : se traiter avec gentillesse, jeter l'ancre et prendre position. La plus belle chose, dans tout ça, c'est qu'il n'est jamais trop tard.

CHAPITRE 19
Il n'est jamais trop tard

Je n'aurais jamais cru que cela puisse être possible... jamais, au grand jamais. Mon père était un homme plutôt normal, typique de sa génération. Il s'occupait de ses enfants de façon tradition-nelle : il travaillait fort pour subvenir aux besoins de la famille et pour s'assurer que ses six enfants auraient de quoi manger et se vêtir, en plus d'avoir un toit au-dessus de leur tête et de bénéficier d'une bonne éducation. Il était très gentil et aimant, à sa façon. Comme la plupart des hommes de sa génération (et plusieurs hommes de ma propre génération), l'intimité le terrifiait. Par inti-mité, je ne fais pas référence au sexe ; je parle d'une intimité émo-tionnelle et psychologique.

Pour développer une intimité émotionnelle et psychologique avec un autre être humain, deux choses sont nécessaires :

- Vous devez être ouvert et être sincère. Il est important de *laisser de la place à l'autre personne* et de partager ce que vous pensez et ressentez vraiment, plutôt que d'essayer de cacher ces pensées et sentiments.
- Vous devez permettre à l'autre personne d'agir de la même façon, être suffisamment chaleureux et ouvert pour accepter qu'elle soit aussi sincère et ouverte avec vous.

Mon père n'a jamais voulu parler de choses personnelles avec nous. Il aimait mieux causer de tout et de rien : il partageait volontiers des faits, des chiffres et des idées avec nous et il aimait discuter de films, de livres et de sujets scientifiques. Tout cela était bien beau – après tout, nous avions de nombreuses conversations agréables ensemble –, mais il y avait un revers à la médaille : je n'ai jamais pu apprendre à le connaître très bien. Je n'ai jamais su à quels sentiments difficiles il devait faire face, pas plus que je n'ai su quels étaient ses espoirs, ses rêves, ses déceptions et ses échecs. Je n'ai jamais su quelles expériences l'avaient le plus marqué ou ce qu'il en avait appris. Je n'ai jamais su ce qui lui faisait peur, ce qui le mettait en colère, ce qui lui faisait perdre sa confiance en lui, ce qui le rendait triste ou ce pour quoi il éprouvait de la culpabilité. Je ne connaissais pratiquement rien de son monde intérieur.

Alors qu'il était âgé de soixante-dix-huit ans, mon père a eu un cancer du poumon, mais il ne m'en a jamais parlé. Ne sachant rien du diagnostic qu'il avait reçu, je suis parti en voyage pour six semaines à l'étranger. Avant mon départ, mon père avait une belle chevelure blanche dont il était fier, mais, à mon retour, j'ai eu la surprise de le voir complètement chauve. Il ne m'a pas avoué que tous ses cheveux étaient tombés à la suite de ses traitements de chimiothérapie. Il a préféré me dire qu'il s'était rasé le crâne parce que c'était à la mode, et qu'il trouvait que ça le faisait paraître plus jeune. Et je l'ai cru.

Bien sûr, la vérité a commencé à émerger à mesure que mon père devenait plus malade et plus frêle. Mais, là encore, il ne voulait pas parler de son cancer, de ses traitements ou de ses craintes. Chaque fois que j'essayais de lui en parler, il changeait de sujet ou se murait dans le silence.

Ne sachant pas combien de temps il lui restait à vivre, j'ai cherché à lui dire l'importance qu'il avait eue pour moi, en tant que père : j'ai voulu lui dire à quel point je l'aimais, lui parler du rôle qu'il avait joué dans ma vie, des différentes façons dont il m'avait inspiré, des choses les plus utiles qu'il m'avait apprises et des meilleurs souvenirs que j'avais de lui. Seulement, ce type de conversations le rendait si mal à l'aise qu'il y mettait fin dès qu'elles commençaient. Le fait que mes yeux s'embuent quand je lui parlais n'était pas non plus étranger à son embarras.

Miraculeusement, il a guéri de son cancer. J'avais espéré que le fait d'avoir frôlé la mort de si près l'aurait aidé à s'ouvrir un peu, mais mes espoirs ont été déçus. Mon père était aussi fermé qu'il l'avait toujours été, si ce n'était pas davantage.

Trois ans plus tard, à l'âge de quatre-vingt-un ans, mon père a eu une crise cardiaque. Plusieurs de ses artères coronaires étaient sérieusement obstruées, et il devait subir une opération à cœur ouvert. Cette opération comportait un risque significatif de mortalité. Lorsque j'ai parlé à mon père peu de temps avant son opération, j'ai de nouveau voulu lui dire l'importance qu'il avait eue dans ma vie. Comme à l'habitude, mes yeux se sont remplis d'eau – des larmes témoignant de mon amour autant que de ma tristesse –, et mon père s'est immédiatement refermé. Il m'a tourné le dos en disant, d'une voix sévère : « Bon, bon, allons… et essuie un peu ces larmes ! »

Mon père a survécu à son opération, mais celle-ci l'a laissé dans un état critique. Les complications se sont succédé et il a dû passer la majorité de l'année suivante à l'hôpital. Vers la fin de l'année, il devenait chaque jour plus faible et démoralisé. Malgré cela, il ne me laissait toujours pas lui parler de façon intime. Un jour, il a décidé qu'il en avait assez de la vie et il a choisi de cesser de prendre ses médicaments. Comme il était lui-même médecin, il savait exactement ce que cela signifiait : il avait ni plus ni moins choisi de mettre fin à ses jours. Une fois que ses médicaments auraient cessé de faire effet, il ne lui resterait que quelques jours à vivre. Même en sachant cela, il refusait toujours de me laisser lui dire à quel point je l'aimais et ce qu'il représentait pour moi. Durant les dernières heures de sa vie, il a commencé à avoir des hallucinations. Entre ces périodes d'hallucinations, il était parfaitement lucide. Il était tout à fait conscient, en contact avec la réalité et mentalement alerte pendant plusieurs minutes. J'ai voulu profiter de l'un de ces moments pour essayer une dernière fois de lui dire l'importance qu'il avait dans ma vie et à quel point je l'aimais. J'étais dans un piteux état : les larmes coulaient sur mes joues et j'avais la goutte au nez. Pourtant, à ma grande stupéfaction, mon père s'est retourné vers moi et m'a regardé droit dans les yeux. Son visage s'est éclairé et il m'a offert un sourire radieux, plein de gentillesse et de compassion. Il a pris mes mains dans les siennes et il a écouté attentivement tout ce que j'avais à lui dire, sans détourner le regard une seule fois et sans m'interrompre. Lorsque j'ai eu fini de pleurer, de me moucher et de lui dire tout ce que je voulais tant lui dire depuis des années, il m'a dit, d'une voix remplie de tendresse et d'amour : « Merci. » Avant d'ajouter : « Je t'aime aussi. »

■ ■ ■

Je raconte cette histoire pour illustrer deux notions essentielles, sur lesquelles nous devons impérativement nous pencher avant de conclure cette section. La première, c'est que les petits changements peuvent avoir un grand effet. Mon père n'a pas changé sa personnalité ; tout ce qu'il a fait, ça a été d'y apporter un petit changement : il a fait les efforts nécessaires pour être présent et ouvert en ma compagnie. Même si cette expérience n'a duré que quelques minutes, ce petit changement nous a permis de profiter d'un moment de bonheur et de tendresse dont je garderai un souvenir émouvant jusqu'à ma mort.

Notre société n'a de cesse de nous répéter que si nous désirons trouver un épanouissement durable, il nous faut revoir notre vie de fond en comble, transformer radicalement notre personnalité ou changer fondamentalement notre façon de penser – voire faire ces trois choses à la fois ! Le problème, c'est que lorsque nous mettons ces notions en pratique, cela ne nous aide que très rarement. Le plus souvent, cela ne fait rien d'autre que nous mettre une pression terrible sur les épaules. Nous faisons de plus en plus d'efforts pour être différents et *meilleurs* que ce que nous étions auparavant – et nous nous blâmons lorsque nous ne répondons pas à nos propres attentes. Malheureusement, plutôt que de nous aider à nous améliorer, cela n'a pour effet que de nous tirer vers le bas.

Ne pouvons-nous pas plutôt essayer de réduire la charge que nous nous mettons sur les épaules ? Pourquoi ne pas diminuer la pression que nous nous imposons ? Après tout, Rome ne s'est pas construite en un jour, et il serait tout aussi illusoire de vouloir obtenir une vie riche et enrichissante en claquant des doigts. Sachant cela, pourquoi ne pas prendre le temps de relaxer un peu ? Allez-y à pas de bébé. Avancez lentement. Et surtout, n'oubliez pas la morale de la fable d'Ésope *De la Corneille et de la Cruche* : c'est avec des petits gestes que l'on parvient à ses fins.

La deuxième notion importante que je voulais illustrer en racontant cette histoire, c'est qu'il n'est jamais trop tard pour commencer à faire ces petits changements. L'esprit humain est comme une *machine à fabriquer des excuses*. Il est extrêmement doué pour trouver toutes sortes de raisons qui justifient notre incapacité à changer et pour expliquer pourquoi il est de toute façon inutile de le faire. L'une des excuses les plus communes est celle-ci : « C'est trop tard ! Je ne peux pas changer maintenant. Je suis comme ça et c'est tout. J'ai toujours été comme ça. » Nous ne sommes pas obligés, toutefois, de croire tout ce que nous raconte notre esprit. Plutôt que de nous voir comme un bloc immuable aux fondations coulées dans le béton, nous pouvons reconnaître que nous avons une capacité infinie d'apprendre, de grandir, d'agir et de penser différemment. Tout ce que nous avons à faire, c'est d'écouter notre cœur et de nous demander : « Quel changement mineur pourrais-je apporter à ma vie ? Quelle est la petite chose que je pourrais changer dans ma façon de parler, d'agir ou de penser qui me permettrait de ressembler un peu plus à la personne que je voudrais être ? »

J'aurais aimé que mon père fasse ce petit changement plus tôt, au lieu d'attendre d'être cloué sur son lit de mort. Cependant, je lui serai éternellement reconnaissant pour son magnifique cadeau d'adieu : il s'est ouvert, il a été pleinement présent et il m'a permis de partager mes vrais sentiments avec lui. Il a fait tout cela avec *bonne volonté*. Ce souvenir m'est si cher : il est réconfortant et déchirant à la fois. Il me rappelle puissamment qu'il n'est jamais trop tard pour changer. Tant qu'il y a de la vie, il y a de l'espoir.

CINQUIÈME PARTIE
Trouver le trésor

CHAPITRE 20
Un privilège

Un jour, à la fin d'une pièce de théâtre, j'ai entendu un comédien lancer à un homme du public qui disait des bêtises : « Quand même, hein ? Sur cent millions de spermatozoïdes, il a fallu que ce soit toi qui te rendes jusqu'au bout ! » Si nous y pensons en ces termes, à savoir qu'il n'y a qu'un spermatozoïde sur cent millions qui puisse fertiliser l'ovule, nous nous rendons compte que nous avons vraiment de la chance d'être en vie. Lorsque nous considérons la chose de façon plus globale et que nous réfléchissons à toute la série d'événements qui a dû se produire pour que nous puissions être ici (comment votre mère a rencontré votre père, comment leurs propres parents se sont rencontrés au préalable et ainsi de suite depuis la nuit des temps), nous finissons par nous dire que notre existence tient presque du miracle. En d'autres mots, c'est tout un privilège que d'être en vie.

Un *privilège* est un avantage qui a été donné à une personne en particulier ou à un groupe, et un *avantage* est une condition ou une circonstance qui nous place dans une position favorable, ou qui nous offre une occasion opportune. Vous faites partie d'un groupe particulier que les scientifiques appellent *Homo sapiens*, et le simple fait que vous soyez en vie alors que tant de membres de votre espèce sont morts vous place déjà dans une position enviable. Cela vous donne une occasion précieuse d'établir des liens avec les autres, de vous occuper d'eux et d'apporter votre contribution au monde ; cela vous permet d'aimer, d'apprendre et de grandir. Considérer la vie comme un privilège, c'est prendre les moyens de profiter de cette occasion précieuse ; c'est l'apprécier, la saisir et la savourer.

Tout cela, bien sûr, c'est facile à dire, mais comment s'y prend-on, concrètement ? Eh bien, si vous appliquez déjà les principes présentés dans ce livre, vous êtes sur la bonne voie. En effet, à l'image du bois et du feu qui s'unissent pour produire de la chaleur, les objectifs et la pleine conscience peuvent s'unir pour créer un sentiment de privilège.

Revenons à cette idée selon laquelle la vie serait un peu comme un spectacle. Sur la scène, on pourrait voir l'ensemble de vos pensées et de vos sentiments, de même que tout ce que vous pouvez voir, entendre, toucher, goûter et sentir. Le fossé qui sépare ce que vous avez de ce que vous désirez n'est qu'une partie de ce qui est présenté sur scène. Cependant, lorsque les lumières s'éteignent et qu'un seul projecteur reste braqué sur la scène, éclairant le fossé, nous pourrions être tentés de croire qu'il n'y a rien d'autre dans la vie que notre douleur. (C'est ce qui se produit lorsque nous fusionnons avec l'histoire disant que nous ne sommes *pas assez bons*.)

Qu'arrive-t-il, toutefois, si nous éclairons l'ensemble de la scène ? Si nous choisissons d'illuminer chaque élément avec le même soin ? Si nous remarquons *à la fois* le fossé auquel nous faisons face et *toute la vie* qui l'entoure ? (Peu importe la taille du fossé, notre vie sera toujours plus importante.) Pourquoi ne profiterions-nous pas de cette prise de conscience pour remarquer les choses qui ne font *pas* défaut dans notre vie et pour reconnaître que de nombreux aspects de notre vie *correspondent en fait* à nos besoins et à nos désirs ? Et si nous découvrions quelque chose de très précieux ? Et si nous trouvions un trésor caché, quelque chose qui nous donnerait un sentiment d'épanouissement, même au milieu de nos douleurs les plus vives ?

Évidemment, votre esprit vous dira plutôt quelque chose comme : « Quand je dois faire face à un problème ou à un deuil comme celui-ci, il n'y a rien d'autre qui importe. » « Sans X, Y ou Z, ma vie est vide et n'a aucun sens. » Ou encore : « Je ne veux rien savoir de tout le reste. » Si vous vous laissez accrocher par ces pensées, vous vous perdrez assurément dans le smog : vous trébucherez et vous aurez de la difficulté à respirer. Si vous voulez vous libérer de ce smog, il vous faut revenir dans le moment présent : vous défusionner d'avec ces pensées, cultiver votre pleine conscience et voir votre vie dans son ensemble, en arrêtant de ne mettre l'accent que sur les côtés négatifs.

Qu'est-ce qui arriverait à votre vie si vous remarquiez soudain toutes ces choses que la plupart d'entre nous tenons pour acquis ? En fait, vous pouvez faire davantage que de simplement les remarquer : vous pouvez les *apprécier*, les *savourer* et les *chérir*. Vous souvenez-vous de B.F. Skinner qui savourait pleinement sa dernière gorgée d'eau ? Pourquoi ne profiteriez-vous pas du moment présent pour chérir votre respiration, votre vue, votre ouïe ou l'usage de vos bras et de vos jambes ? Pourquoi ne profiteriez-vous pas pleinement de votre prochaine rencontre avec des amis, des membres de votre famille ou des voisins ? Vous êtes-vous déjà promené dans le seul but de célébrer la beauté qui vous entoure ? Avez-vous déjà respiré l'air en vous réjouissant de le sentir si frais ? Avez-vous déjà apprécié pleinement la chaleur d'un feu de bois ou d'un bon lit chaud ? Avez-vous déjà savouré un repas préparé à la maison, dégusté un pain fraîchement cuit ou *profité de chaque seconde* en prenant une douche chaude ? Avez-vous déjà trouvé le bonheur dans une accolade, un baiser, un livre, un film, un coucher de soleil, une fleur, un enfant ou un animal de compagnie ?

À ce moment, votre esprit vous dit probablement : « Ouais, bon. C'est bien beau, tout ça, mais qu'est-ce que ça signifie pour les gens qui se retrouvent dans une situation vraiment horrible ? Ces conseils ne doivent pas leur être d'une grande utilité, non ? » Ma réponse à cela est la suivante : chaque chose en son temps. Lorsque la réalité nous frappe de plein fouet, nous devons commencer par jeter l'ancre et nous tenir doucement. Ensuite, nous devons prendre position : nous choisissons alors de sortir de la situation ou non, de changer ce qui peut être changé, d'accepter ce qui ne peut l'être et de vivre en accord avec nos valeurs. Si nous avons fait tout cela et que notre situation est encore aussi horrible qu'au départ, alors, certes, il sera probablement difficile de trouver quelque chose à apprécier, à savourer et à chérir. Difficile... mais pas impossible.

Par exemple, dans son autobiographie *Un long chemin vers la liberté*, Nelson Mandela décrit comment il a pu savourer chacune de ses marches matinales dans la carrière de chaux, durant les nombreuses années qu'il a passées en prison à Robben Island, appréciant la fraîcheur de la brise marine et la beauté des paysages naturels. On peut également considérer le cas de Primo Levi, ce juif italien qui a été envoyé au camp de concentration d'Auschwitz durant la dernière année de la Seconde Guerre mondiale. Dans son livre émouvant où il raconte son expérience, *Si c'est un homme*, il décrit comment il a enduré des travaux forcés éreintants, jour après jour, dans le froid glacial de l'hiver polonais, alors qu'il n'avait pour seuls vêtements que des haillons. Quand sont venus les premiers jours du printemps, il a été capable de savourer pleinement la chaleur du soleil sur sa peau meurtrie. Finalement, on peut songer au cas de Viktor Frankl, un autre prisonnier juif du camp d'Auschwitz. Dans son livre *Découvrir un sens à sa vie*, il révèle que même lorsqu'il était plongé au cœur de toute cette horreur, il était encore capable de chérir les tendres souvenirs qu'il avait de sa femme.

Remarquez bien que je ne vous propose *pas* d'essayer d'oublier vos problèmes ou de prétendre que le fossé de la réalité n'existe pas. Je ne dis *pas* que nous devrions regarder les choses positives qui sont sur la scène en ignorant les parties que nous aimons moins. Je ne propose *pas* d'adopter la pensée magique en nous disant que tout va pour le mieux. (Vous pourrez essayer ces approches si vous le voulez, mais elles ne fonctionnent généralement pas très bien – du moins pas à long terme.) Ce que je vous suggère, c'est tout simplement ceci : éclairez l'*ensemble* de la scène. N'ayez pas peur de voir le fossé très clairement, mais *aussi* ce qui l'entoure. Vous pourrez alors apprécier le privilège que vous avez de voir la scène tout entière. Ce n'est qu'*alors* que vous pourrez découvrir quelque chose, parmi tout cela, que vous pourrez chérir.

Bien sûr, comme plusieurs choses dont j'ai parlé dans ce livre, c'est beaucoup plus facile à dire qu'à faire. Pourquoi ? Parce que l'esprit humain semble configuré pour mettre l'accent sur ce qu'il n'a *pas* ; sur ce qui n'est *pas assez bon* ; sur ce qui doit être réparé, réglé ou changé avant de pouvoir apprécier la vie telle qu'elle est.

Si l'on nous a parfois dit, lorsque nous étions enfants, qu'il fallait « voir la réalité en face » ou « apprécier notre bonne fortune », nous avons grandi au sein d'une culture qui préfère mettre l'accent sur ce qui est négatif, douloureux et problématique. (Si vous doutez de cette affirmation, vous n'avez qu'à ouvrir un journal pour voir que la vaste majorité des nouvelles concernent des événements négatifs, douloureux ou problématiques.)

Cela signifie que lorsque quelqu'un nous propose d'apprécier ce que nous avons déjà, il y a de bonnes chances que notre esprit fasse preuve d'un certain cynisme. Si votre propre esprit proteste en ce moment, je vous conseille donc de faire comme s'il s'agissait d'une personne bruyante se tenant au fond du café dans lequel vous êtes. Laissez-le dire ce qu'il veut, sans y accorder trop d'importance et sans commencer à débattre de ce qu'il dit avec lui. Prenez plutôt le temps de vous poser la question suivante : *comment* pouvons-nous apprécier ce que nous avons ?

EN QUÊTE D'APPRÉCIATION

Accroître notre appréciation des choses que nous avons est en réalité assez simple. Nous n'avons qu'à ouvrir les yeux et à prêter attention à notre situation. Cela ne peut toutefois pas être fait n'importe comment. Nous devons être attentifs d'une façon bien précise : avec ouverture et curiosité. Essayons dès maintenant. En lisant cette phrase, remarquez comment vos yeux balaient la page ; remarquez comment ils se déplacent d'un mot à l'autre sans que vous ayez à faire d'efforts conscients ; comment ils vont juste à la bonne vitesse pour que vous puissiez assimiler l'information qu'ils lisent. Imaginez maintenant à quel point votre vie serait difficile si vous perdiez la vue. Pensez à toutes les choses dont vous ne pourriez plus profiter. Imaginez que vous ne puissiez plus lire de livres, regarder de films, voir les expressions faciales de vos proches, regarder votre reflet dans le miroir, admirer un coucher de soleil ou conduire une voiture.

Lorsque vous atteindrez la fin de ce paragraphe, cessez de lire pendant quelques secondes. Regardez autour de vous et remarquez (en les nommant) cinq choses que vous pouvez voir. Posez votre regard sur chacune de ces choses pendant plusieurs secondes, en remarquant leur forme, leur couleur et leur texture comme si vous étiez un enfant curieux qui n'avait jamais rien vu de tel. Remarquez les motifs ou les inscriptions à la surface de ces objets. Remarquez comment la lumière se reflète sur eux et l'ombre qu'ils projettent. Remarquez leur contour et leur silhouette, puis déterminez s'ils bougent ou s'ils sont immobiles. Soyez ouvert à la possibilité de découvrir quelque chose de nouveau, même si votre esprit insiste pour vous dire que ce sera ennuyeux.

Une fois que vous aurez terminé, prenez un moment pour réfléchir à toutes les façons dont vos yeux améliorent votre vie. Réfléchissez à tout ce que vous pouvez faire grâce au don de la vue. Que serait votre vie si vous étiez aveugle? Pensez un peu à tout ce que vous manqueriez.

■ ■ ■

Ce petit exercice relie les trois thèmes qui forment l'acronyme PREP: la présence, la raison d'être et le privilège. Lorsque nous prenons la peine d'être attentifs, avec ouverture et curiosité, nous sommes présents. Nous pouvons alors insuffler une raison d'être à cette présence en établissant un lien avec nos yeux, en nous souciant d'eux et en réfléchissant à la façon dont ils contribuent à notre bien-être. Nous sommes reconnaissants de les avoir. Nous pouvons alors apprécier pleinement tout ce que la vue nous offre et sentir que nous sommes privilégiés.

En poursuivant votre lecture, remarquez comment vos mains tiennent ce livre sans peine. Lorsque vous atteindrez la fin de ce paragraphe, prenez le livre, retournez-le, lancez-le doucement et rattrapez-le. Prenez une minute pour jouer avec le livre de différentes façons. Passez-le d'une main à l'autre, tournez les pages, levez-le en l'air et laissez-le retomber, en le rattrapant avant qu'il ne tombe sur le sol. En faisant chacune de ces choses, prêtez attention aux mouvements de vos mains. Soyez curieux: remarquez comme vos mains semblent savoir exactement quoi faire en toutes circonstances et observez la façon dont votre pouce et vos autres doigts travaillent ensemble si naturellement. Soyez ouvert en faisant cette expérience: soyez prêt à apprendre quelque chose en observant, même si vous ne voulez pas spécialement le faire.

■ ■ ■

Alors, avez-vous vu à quel point vos mains sont exceptionnelles ? Pensez aux difficultés que vous auriez dans la vie si vous ne pouviez pas compter sur elles. Lorsque vous atteindrez la fin de ce paragraphe, utilisez vos mains pour faire quelque chose d'agréable : pour vous masser doucement le crâne, les tempes ou les épaules, ou pour vous frotter délicatement les paupières. Faites cela pendant une minute, doucement et gentiment, puis retrouvez votre curiosité enfantine et votre ouverture d'esprit afin de remarquer comment se déplacent vos mains, quelles sensations sont générées par leur mouvement et de quelle façon votre corps y réagit.

Après avoir fait cela, pensez aux multiples façons dont vos mains améliorent votre vie et à tout ce qu'elles vous permettent de faire. Essayons maintenant un autre exercice qui met l'accent sur la respiration.

■ ■ ■

Tout en poursuivant votre lecture, tentez de ralentir votre respiration. Prenez quelques inspirations profondes et relâchez vos épaules. En appréciant le plaisir simple de la respiration, pensez au rôle que jouent vos poumons dans votre vie. Prenez le temps de voir à quel point vous comptez sur leur bon fonctionnement et pensez à la façon dont ils contribuent à votre bien-être. De par le monde, des millions de personnes souffrent de maladies cardiaques et pulmonaires qui affectent directement leur capacité respiratoire. Si vous avez déjà souffert d'asthme ou d'une pneumonie, vous savez à quel point cela peut être difficile et terrifiant. Vous avez peut-être déjà rendu visite à un proche qui avait dû être hospitalisé à la suite d'une maladie cardiaque ou pulmonaire grave. Les personnes qui sont dans de telles situations ont les poumons gorgés de liquide et ne peuvent respirer qu'en inhalant de l'oxygène à l'aide d'un masque. Imaginez un peu que vous êtes une de ces personnes. Imaginez que vous êtes dans cette situation et que vous pensez à votre vie, en vous souvenant de la belle époque où vos poumons fonctionnaient parfaitement. Votre vie était tellement plus facile, alors. À quel point tenons-nous pour acquis le bon fonctionnement de nos poumons et de notre système respiratoire, en oubliant à quel point ils jouent un rôle crucial dans notre vie? Pouvez-vous, pour un instant seulement, remarquer l'importance de vos poumons et du rôle qu'ils jouent dans le flux rythmique de la respiration? Pouvez-vous apprécier le privilège dont vous jouissez alors que cette expérience est toute naturelle pour vous?

■ ■ ■

Si nous prenons le temps d'apprécier ce que nous avons à quelques reprises au cours de la journée, nous développons rapidement notre sentiment de contentement. Nous pouvons faire ces exercices à tout moment et dans n'importe quel endroit: nous n'avons qu'à prendre quelques secondes pour remarquer, avec ouverture et curiosité, quelque chose que nous pouvons sentir, toucher, voir, entendre ou goûter. Il pourra s'agir du sourire qui orne le visage d'un être aimé, des particules de poussière qui dansent dans un rayon de lumière, de la sensation de l'air qui circule en nous lorsque nous respirons, du rire d'un enfant, de l'odeur du café qui infuse ou du goût du beurre sur le pain.

Remarquez bien que je n'affirme pas du tout que cela peut régler l'ensemble de vos problèmes. Je ne vous demande pas non plus de prétendre que votre vie est plus rose que vous ne le croyez et que vous n'avez aucun besoin, désir ou envie. Cet exercice a pour simple objectif d'améliorer votre satisfaction dans la vie. «Trouver le trésor» est un état psychologique radicalement différent de celui pour lequel notre esprit est configuré. Il s'agit de mettre l'accent sur autre chose qu'un sentiment de manque et de mécontentement, afin de ne pas se concentrer uniquement sur ce qu'il faut faire pour refermer ou éviter le fossé qui existe dans notre vie.

Alors, la prochaine fois que vous boirez de l'eau, pourquoi ne pas prendre le temps de savourer votre première gorgée? Gardez-la un peu en bouche et remarquez comment la sécheresse que vous ressentiez juste avant peut disparaître rapidement.

La prochaine fois que vous irez faire une marche, prenez le temps de remarquer les mouvements de vos jambes. Appréciez leur rythme, leur force, leur coordination et les efforts qu'elles font pour vous permettre de vous déplacer.

La prochaine fois que vous savourerez un repas délicieux, prenez le temps d'apprécier votre première bouchée à sa pleine valeur et de vous émerveiller du fait que votre langue puisse goûter la nourriture, que vos dents puissent la mastiquer et que votre gorge puisse l'avaler.

Nous avons tous tendance à tenir la vie pour acquise et à oublier toutes les choses merveilleuses qui existent en dehors du fossé auquel nous devons faire face. Or, cela n'a pas à être ainsi. Nous ne sommes pas obligés d'attendre d'être sur notre lit de mort pour apprécier le simple plaisir de boire de l'eau. Nous ne sommes pas forcés d'attendre que nos jambes ne répondent plus pour apprécier la facilité avec laquelle elles nous permettent de nous déplacer. Rien ne nous oblige à attendre que nos yeux et nos oreilles cessent de fonctionner pour apprécier le don de l'ouïe ou de la vue. Nous pouvons apprécier tous ces trésors, ici et maintenant.

CHAPITRE 21
S'arrêter et contempler

Lorsque j'avais environ douze ans, j'avais un professeur d'anglais qui aimait beaucoup nous faire réciter des poèmes. À l'époque, je détestais cet exercice, et je considérais la poésie comme la chose la plus ennuyeuse du monde (après les mathématiques, évidemment). De tous les poèmes que j'ai appris à l'école cette année-là, je ne me souviens plus que d'un seul. Il ne m'a pas fait grande impression à l'époque, mais sans que je fasse d'efforts particuliers en ce sens, il m'est toujours resté en tête. Avec les années, j'ai appris à l'apprécier. Il a été écrit par le poète et auteur gallois William Henry Davies (1871-1940), et je vous invite à le lire à votre tour :

Loisirs

Qu'est-ce que cette vie si, à tant s'inquiéter,
Il n'est de temps pour s'arrêter et contempler ?
De temps pour admirer le bocage,
Comme la vache dans le pâturage.
De temps pour voir, le long des bois,
Où l'écureuil cache ses noix.
De temps pour voir, en pleine journée,
Des rivières de lumière dignes d'un ciel étoilé.
De temps pour apprécier la fugace beauté,
Pour voir ses pieds qui savent si bien danser.
Pour voir à quel point sa bouche,
D'un sourire transforme tout ce qu'elle touche.
C'est une vie bien pauvre que celle passée à s'inquiéter,
Au point de ne pouvoir s'arrêter et contempler.

Dans ce poème, Davies va droit au cœur de la condition humaine : nous sommes si souvent aux prises avec des vies surchargées et stressantes que nous oublions de voir toute la beauté qui nous entoure. Bien entendu, la vie a également beaucoup de choses horribles et douloureuses à offrir. Ne nous leurrons pas là-dessus. Cependant, comme le dit souvent Steven Hayes, le créateur de la thérapie ACT, il y a autant de vie dans un moment douloureux que dans un moment joyeux. La présence nous aide à tirer le maximum de notre existence : elle nous permet de trouver la plénitude dans chacun de nos moments, qu'ils soient remplis d'émerveillement ou d'horreur.

Imaginez un instant que vous êtes dans une chambre d'hôtel confortable, fraîche et climatisée. Vous regardez par la fenêtre et retenez votre souffle en voyant la plage de sable blanc et l'océan bleu qui s'étendent à perte de vue. Les vagues brillent dans la lumière du soleil, et les palmiers se font bercer par la brise légère. Il n'y a pas à dire, la vue est spectaculaire. Mais… vous ne pouvez pas entendre le son des vagues qui se brisent sur la plage, vous ne pouvez sentir ni la chaleur du soleil sur votre peau ni la brise qui caresse votre visage, et vous ne pouvez pas respirer et humer l'air marin. C'est ce que l'on entend par « être à moitié présent ». Vous bénéficiez d'une partie de l'expérience, mais vous en manquez aussi une grande partie.

Imaginez maintenant que vous sortez de votre chambre pour aller sur le balcon. Vous vous sentez instantanément plus vivant. Vous sentez la douceur du soleil sur votre peau, le vent qui ébouriffe vos cheveux et l'air salé de la mer qui remplit vos poumons. C'est ce que signifie « être présent » : participer pleinement à la vie dans chacun de ses moments et absorber toute la richesse qu'elle a à nous offrir ; il s'agit de boire à la coupe de la vie en savourant son abondance. Dans les précédentes sections de ce livre, nous avons principalement exploré la présence pour voir en quoi elle pouvait nous aider à vivre avec la souffrance. Nous avons vu qu'elle nous permet de jeter l'ancre, de faire de la place à nos émotions difficiles et d'accomplir l'action efficace. Je présume que vous comprenez maintenant qu'elle nous permet également de voir l'expérience de la vie comme un privilège.

LES MOMENTS DE PRÉSENCE

Les moments de présence sont naturels. Quand nous rencontrons pour la première fois quelqu'un que nous admirons ou que nous trouvons attirant, il y a de fortes chances que nous soyons très présents : nous lui accordons toute notre attention et nous sommes accrochés à ses lèvres. Lorsque nous disons de quelqu'un qu'il a une « présence forte » ou que nous le trouvons intéressant, ce que nous voulons dire, c'est qu'il peut attirer notre attention naturellement et sans effort. Comparons cela à certains amis, membres de notre famille ou collègues que nous voyons tout le temps. Il nous arrive souvent de les tenir pour acquis et de n'écouter ce qu'ils nous disent que d'une oreille distraite. Il nous arrive même de nous plaindre de la difficulté que nous avons à demeurer présents quand ils « nous rebattent les oreilles » avec leurs histoires, n'hésitant pas alors à dire qu'ils sont « ennuyeux ».

De même, lorsque nous goûtons la première bouchée d'un repas délicieux dans un restaurant, lorsque nous sentons un nouveau parfum envoûtant ou lorsque nous voyons un arc-en-ciel spectaculaire, nous avons tendance à consacrer toute notre attention à ce moment, en étant pleinement conscients de ce qui se passe. Cependant, cette attention décline très rapidement. Après trois ou quatre bouchées, nous commençons déjà à tenir notre mets pour acquis. Certes, nous continuons de le goûter, mais nous ne le savourons plus : nous n'accordons plus toute notre attention à chacune des saveurs et des textures de notre nourriture. Nous mangeons plutôt de façon machinale, bien plus intéressés par la conversation que nous entretenons avec nos compagnons de table que par les sensations que nous avons en bouche. Quant à ce parfum envoûtant, après quelques minutes, il a fini de se mêler à l'odeur ambiante et nous ne le remarquons bientôt plus.

Recréons certains moments de présence, maintenant. Dans l'exercice suivant, je vous invite à accorder de cinq à dix secondes à chaque instruction donnée avant de passer à la suivante.

PRENDRE CONSCIENCE DES SONS

Dans un premier temps, ouvrez vos oreilles et prenez quelques instants pour remarquer ce que vous pouvez entendre.

Prêtez attention à tous les sons qui parviennent à vos oreilles (comme votre corps qui bouge sur votre chaise ou votre respiration).

Maintenant, faites un effort conscient pour remarquer les sons qui proviennent des alentours immédiats.

Étendez ensuite votre champ auditif jusqu'à ce que vous puissiez entendre les sons les plus lointains possibles. Pouvez-vous entendre les sons de la nature ou de la circulation, au loin ?

Demeurez assis au milieu de tous ces sons, et remarquez les différentes couches de bruit : les vibrations, les pulsations et les rythmes.

Remarquez les sons qui s'arrêtent et les nouveaux sons qui commencent.

Essayez de repérer un son continu, quel qu'il soit. Cela peut être un bourdonnement électrique ou le bruissement d'un ventilateur, par exemple. Écoutez ce son comme s'il s'agissait d'un morceau de musique fabuleux. Remarquez le ton, le volume et le timbre du bruit.

Continuez de concentrer votre attention sur ce bruit et remarquez à quel point ce n'est pas *un son comme tant d'autres*. Remarquez qu'il est constitué de multiples couches, qu'il a un rythme propre et un cycle particulier.

Remarquez maintenant les différences entre les sons que vous entendez et les mots et les images que votre esprit utilise pour les décrire.

■ ■ ■

Comment s'est passé cet exercice ? Étiez-vous pleinement présent avec les sons, ou est-ce que votre esprit a réussi à vous détourner de l'exercice ? Pour la plupart d'entre nous, cette deuxième possibilité est la plus probable. Votre esprit vous a peut-être distrait en vous proposant des pensées comme : « C'est ennuyeux. » « Je n'y arrive pas. » « Pourquoi ne pas sauter ce passage ? Je n'ai pas vraiment besoin de faire ça. » Ou encore : « Je me demande ce qu'on va manger. » Votre esprit a peut-être évoqué des images correspondant aux sons que vous entendiez (des gens, des voitures, des oiseaux, le vent ou la pluie, par exemple). Peut-être a-t-il plutôt cherché à analyser les sons : « Qu'est-ce qui peut bien faire ce bruit ? » Ou il les a nommés pour leur accoler une étiquette : « Ah, ça, c'est un camion. » Peut-être aussi vous a-t-il tout simplement ramené au fossé auquel vous faites face, vous contraignant à vous inquiéter à propos de vos problèmes, à vous attarder sur votre situation peu enviable ou à vous demander comment cet exercice pourrait bien vous aider. Peu importe ce qu'a fait votre esprit, au fond. Ses réactions sont parfaitement normales ; contentez-vous de les reconnaître et de les laisser aller.

LISA ET LES GRENOUILLES

« Je n'en peux plus, m'a dit Lisa. Si je dois entendre ces satanées grenouilles encore une nuit de plus, je vous jure que je vais devenir folle ! » Une semaine plus tôt, Lisa avait déménagé dans une nouvelle maison très charmante. Malheureusement, son voisin avait un grand étang derrière chez lui, qui abritait une famille de grenouilles excessivement bruyantes. Lisa comparait le bruit de ces grenouilles à celui que l'on peut faire en frappant deux gros blocs de bois l'un contre l'autre, et cela n'arrêtait pas de la nuit. Elle trouvait ce bruit extrêmement irritant, et cela l'empêchait de dormir pendant des heures et des heures. Elle avait essayé trois sortes différentes de bouchons d'oreille, sans succès. Elle m'avait confié, d'un air très coupable, qu'elle avait même commencé à penser à empoisonner les grenouilles.

Je lui ai suggéré d'essayer l'exercice décrit précédemment (« Prendre conscience des sons »). Vers la fin de l'exercice, je lui ai demandé de concentrer son attention sur le bruit passablement irritant d'une tondeuse à gazon dont le moteur bruyant vrombissait allégrement sur le terrain situé juste en face de mon bureau. Je lui ai demandé d'être pleinement consciente de ce son : de laisser son esprit jacasser en arrière-plan comme s'il s'agissait d'un transistor placé dans le coin de la pièce, en accordant toute son attention au bruit de la tondeuse. Elle devait remarquer, avec grande curiosité, l'ensemble des différents éléments de ce bruit (les rythmes, les vibrations, les sons aigus, les sons graves, les changements de tonalité et le volume) comme si elle écoutait la voix d'un chanteur exceptionnel. Après coup, elle m'a dit que le bruit l'avait agacée au départ, mais qu'il était devenu plutôt intéressant une fois qu'elle l'avait bien écouté. Elle était par ailleurs surprise de constater qu'elle avait entendu le bruit d'une tondeuse des centaines de fois auparavant, sans jamais s'être rendu compte qu'il était si riche. Je lui ai alors demandé de répéter cet exercice quand elle serait au lit le soir venu, en écoutant attentivement le coassement des grenouilles au loin. Une semaine plus tard, elle est revenue me voir et m'a dit, un grand sourire accroché aux lèvres, qu'elle avait fait l'exercice d'écoute tous les soirs... et qu'elle appréciait maintenant le son des grenouilles. Elle le trouvait relaxant et apaisant, et cela l'aidait même à s'abandonner au sommeil !

Je ne voudrais pas vous promettre mer et monde et vous laisser entretenir des attentes irréalistes: la présence ne donne pas toujours des résultats aussi exceptionnels, particulièrement lorsque nous ne sommes pas habitués à l'appliquer dans notre vie et que nos habiletés sont relativement inexploitées. N'oublions pas non plus qu'il est difficile de demeurer présent pendant de longues périodes, parce que notre esprit a plusieurs tours dans son sac pour nous distraire. Si nous voulons devenir bons dans ce domaine, il n'y a rien de mieux à faire que de nous exercer. En conséquence, je vous propose deux exercices simples et rapides que vous pouvez aisément incorporer dans votre emploi du temps quotidien.

LA PRÉSENCE AVEC LES GENS

Choisissez une personne par jour et tâchez de remarquer son visage comme vous ne l'avez jamais vu auparavant: la couleur de ses yeux, de ses dents et de ses cheveux, les motifs des rides sur sa peau et sa manière de bouger et de parler. Remarquez ses expressions faciales, son langage corporel et le ton de sa voix. Cherchez à voir si vous pouvez lire ses émotions et comprendre ce qu'elle ressent. Lorsque cette personne vous parle, prêtez attention à ce qu'elle dit comme s'il s'agissait de l'orateur le plus fascinant que vous ayez jamais entendu et que vous aviez payé un million de dollars pour avoir le privilège de l'entendre. (Un conseil: choisissez la personne une journée à l'avance et souvenez-vous de son identité le matin. De cette façon, vous serez plus porté à lui accorder toute votre attention dès l'instant où vous la verrez.) Finalement, il est très important de remarquer ce qui se produit à la suite de votre interaction plus consciente.

La présence avec le plaisir

Choisissez une activité agréable chaque jour (idéalement, optez pour une activité que vous tenez pour acquise ou que vous faites sans réfléchir) et cherchez à voir si vous pouvez en retirer toutes les sensations de plaisir possibles. Il pourrait s'agir de faire un câlin à un être cher, de caresser votre chat, de promener votre chien, de jouer avec vos enfants, de boire un verre d'eau fraîche ou une tasse de thé chaud, de manger votre repas, d'écouter votre musique favorite, de prendre un bain chaud, de vous balader dans le parc – les possibilités sont infinies. (Remarque: Ne choisissez pas des activités qui vous demandent beaucoup de concentration comme la lecture, les sudokus, les échecs ou les mots croisés.) En faisant cette activité, utilisez vos cinq sens pour vous assurer d'être pleinement conscient: remarquez ce que vous pouvez entendre, voir, toucher, goûter et sentir, et savourez chacune de ces sensations.

■ ■ ■

Évidemment, il existe une infinité de possibilités d'exercices qui peuvent nous aider à accroître notre présence. Mais pourquoi ne pas en inventer d'autres vous-même? Pour ce faire, vous n'avez qu'à choisir une chose (un objet, une activité ou un événement) avec laquelle vous établissez une connexion. Observez cette chose avec curiosité. Absorbez-en tous les détails en utilisant vos cinq sens. Puis, afin d'accentuer votre sentiment de privilège, vous pouvez penser à la place qu'occupe cette chose dans votre vie. Si vous ne pouvez pas voir en quoi elle contribue à votre bien-être, appréciez simplement le fait d'être en vie et de pouvoir jouir de vos cinq sens. Vous pouvez également apprécier la chance que vous avez de pouvoir prendre le temps de vous arrêter et de contempler.

Restez à l'affût de la bonne vieille histoire disant que vous n'êtes *pas assez bon* : elle rôde toujours aux alentours. Si elle nous happe, elle nous entraîne avec elle comme une navette qui se dirige à grande vitesse vers l'enfer. Un moment, nous apprécions la vie telle qu'elle est ici et maintenant, et le suivant nous nous retrouvons piégés dans les entrailles de la Terre.

J'ai emprunté cette navette pour l'enfer à de nombreuses occasions. Je n'aime pas l'admettre, mais, dans l'année qui a suivi le diagnostic de mon fils, j'empruntais cette navette plusieurs fois par jour. J'avais par exemple pris l'habitude d'emmener mon fils au parc presque tous les jours, mais il voulait souvent revenir à la maison dès que nous y arrivions. Il n'aimait pas grimper dans les structures, il n'aimait pas se balancer, il n'aimait pas la balançoire à bascule et il avait peur de glisser sur le toboggan. Les autres enfants couraient dans tous les sens, grimpaient, sautaient et rigolaient pendant que mon fils se cachait dans un coin ou se couchait par terre en braillant comme un chiot.

Chaque visite au parc s'accompagnait de son lot d'anxiété et de frustration. Mais mon esprit rendait cela encore cent fois pire en s'acharnant à comparer mon fils avec les autres enfants et à juger qu'il n'était *pas assez bon*. Il me faisait remarquer tout ce qui pouvait indiquer que mon fils était déficient, faible ou anormal ; il me soulignait à grands traits à quel point les autres parents semblaient avoir du plaisir alors que je ne ressentais rien de tel, loin de là. (Plus tard, mon esprit jugerait que je n'étais moi-même *pas assez bon* pour oser avoir de telles pensées : « Quel genre de père peut penser des choses pareilles à propos de son propre enfant ? ») Graduellement, en l'espace d'un an et avec l'aide des thérapeutes du programme d'analyse du comportement appliquée, mon fils a appris à apprécier le terrain de jeu. Avant d'arriver à ce résultat, cependant, j'ai emprunté la navette pour l'enfer à chacune de mes visites.

Heureusement, il existe aussi une navette pour le paradis. Lorsque nous parvenons à défusionner d'avec nos histoires difficiles, à faire de la place pour nos sentiments douloureux et à nous ancrer fermement dans le présent, nous commençons à ressurgir des profondeurs abyssales pour retrouver la lumière. Quand nous franchissons un autre cap en prenant la peine d'apprécier consciemment ce que nous possédons, nous découvrons que notre réalité est transformée. Le fossé qui existait auparavant n'a pas disparu, mais il n'est plus au centre de notre attention ; plutôt que de mettre l'accent uniquement sur ce qui nous manque, nous reconnaissons ce que nous avons et nous apprécions notre chance.

Par exemple, lorsque je me libère des histoires que mon esprit me raconte au sujet de mon fils, de ce qu'il pourrait et devrait être, de ce qui lui manque et de ce qu'il a de travers, pour enfin l'aimer tel qu'il est, je défusionne d'avec tous mes jugements et attentes pour apprécier la beauté du moment. Du *problème* qu'il était, mon enfant se transforme soudain en un *privilège* immense. Je me sens chanceux et béni des dieux de partager ma vie avec un être humain aussi remarquable, qui m'a tant appris sur la vie et sur l'amour. Vraiment, dans ces moments, je suis *au paradis*.

Bien sûr, le même défi se pose pour tous les parents : pouvons-nous décrocher de ces histoires difficiles pour apprécier nos enfants tels qu'ils sont, et être reconnaissants pour ce qu'ils nous apportent ? En fait, c'est un défi qui se pose dans *toutes* les relations, autant dans celle que nous entretenons avec nous-mêmes que dans celles que nous avons avec les autres personnes, et même avec le monde qui nous entoure. Reconnaissons donc qu'il s'agit d'un énorme défi. Pourquoi ? Parce qu'il y aura toujours une navette pour l'enfer qui nous attendra. N'importe qui parmi nous peut emprunter ce chemin en un clin d'œil.

Heureusement, cependant, il existe toujours une façon d'en revenir. Dès le moment où nous nous apercevons que nous sommes en enfer, un choix se présente à nous. Nous pouvons appliquer les principes de l'acronyme PREP (la présence, la raison d'être et le privilège) pour faire instantanément demi-tour et revenir à la surface.

CHAPITRE 22
La douleur comme un poème

Lorsqu'elle a appris qu'elle avait un cancer du sein, Chloé, l'une de mes clientes, a rejoint un « groupe de soutien ». Elle espérait y trouver une communauté empreinte de compassion et de conscience de soi, qui pourrait comprendre l'étendue de sa douleur et de ses peurs face à la difficile épreuve du cancer, tout en lui offrant du soutien et des encouragements sincères. Or, ce qu'elle y a trouvé, pour reprendre ses mots exacts, ça a été « une bande d'extrémistes carburant à la pensée positive ». Les femmes du groupe n'ont aucunement pris la peine de reconnaître les craintes et la douleur de Chloé. Elles lui ont plutôt dit de penser positivement et de considérer son cancer comme un « cadeau ». Elles ont ajouté qu'elle devait s'estimer chanceuse parce que sa maladie lui avait donné l'occasion de « se réveiller » et d'apprécier sa vie ; une chance d'apprendre, de grandir et d'aimer de façon plus épanouie.

Notez bien que je n'ai rien contre le fait d'apprendre, de grandir et d'aimer de façon plus épanouie. Ce livre tout entier est consacré à la prise de conscience et à l'importance d'apprécier la vie. Toutefois, il y a un pas à franchir entre vouloir cela et en venir à considérer un cancer comme un cadeau, ou croire que l'on est chanceux de souffrir d'une pareille maladie. Essayez maintenant de remplacer les mots « avoir un cancer » par « perdre un enfant », « voir sa maison ravagée par un incendie », « subir un viol », « être emprisonné dans un camp de concentration » ou « perdre l'un de ses membres ». À quel point serait-il insensible de dire à des gens qui auraient vécu de pareilles expériences qu'ils devraient s'estimer «chanceux» de ce qui leur est arrivé? C'est exactement l'inverse d'une relation attentionnée et pleine de compassion.

Nous avons tous plusieurs occasions d'apprendre, de grandir et de prendre conscience de la chance que nous avons d'être en vie. Il n'est pas nécessaire que quelque chose d'horrible nous arrive pour que nous puissions prendre conscience de notre plein potentiel. Si nous sommes victimes d'un terrible événement, il vaudra certainement mieux essayer d'en retirer quelque chose et de s'en servir pour grandir, mais n'allons pas prétendre que c'est merveilleux ou que nous avons de la chance de vivre cela. J'ai appris énormément de choses et j'ai pu devenir une personne plus complète en raison de tout ce qui est arrivé à mon fils. J'ai par ailleurs connu des joies immenses et de profondes satisfactions au milieu de toute la douleur, mais je n'irai jamais jusqu'à dire que l'autisme est un «cadeau».

Cela dit, de temps à autre, vous entendrez parler de personnes pour qui la maladie ou le fait de frôler la mort aura été *la meilleure chose qui leur soit jamais arrivée*, puisque cela leur a permis de transformer leur vie de façon positive. J'ai moi-même rencontré quelques personnes pour qui cela avait été le cas, et j'ai lu les témoignages de quelques autres. Je dois avouer que leurs histoires sont souvent extrêmement inspirantes, mais cela ne m'empêche pas de croire que leur cas est très rare, et que la plupart d'entre nous ne verrons jamais les choses de cette manière. Sachant cela, pourquoi ne pas être honnêtes avec nous-mêmes? Lorsque de mauvaises choses nous arrivent, reconnaissons à quel point c'est douloureux et montrons-nous généreux envers nous. C'est seulement ensuite que nous pourrons réfléchir à ce que cette expérience nous a permis d'apprendre et de modifier en nous.

Donc, si vous avez *vraiment* pris le temps de reconnaître votre douleur, que vous y avez réagi avec compassion et que vous avez fait ce que vous pouviez pour améliorer la situation, vous pourrez *alors* prendre le temps de réfléchir à quelques questions importantes. Vous n'avez bien sûr jamais souhaité que la réalité vous frappe violemment comme elle l'a fait (la vie vous a offert cette surprise sans vous demander votre assentiment), mais, en considérant que cela s'est produit *malgré tout*, il pourrait maintenant être utile de vous poser les questions suivantes :

- Que puis-je apprendre de cette expérience et en quoi peut-elle me permettre de grandir ?
- Quelles qualités personnelles pourrais-je améliorer ?
- Quelles habiletés pratiques pourrais-je apprendre ou améliorer ?

Lorsque la réalité nous frappe en plein visage, elle nous invite en même temps à nous améliorer. Bien qu'il ne s'agisse pas du type d'invitation dont nous aurions rêvé, il n'en demeure pas moins que notre vie risque d'être encore moins agréable qu'elle ne l'est déjà si nous la déclinons. Pourquoi, alors, n'accepterions-nous pas ce défi pour en tirer profit autant que faire se peut ? Nous pourrions utiliser ce prétexte pour accroître nos habiletés de défusion, de connexion et d'expansion, pour nous recentrer sur nos valeurs et agir en accord avec nos objectifs. Saisissons cette occasion pour nous exercer à nous traiter avec considération, à jeter l'ancre, à prendre position et à trouver le trésor.

L'un des privilèges que nous avons dans cette vie, ce sont les innombrables occasions d'apprendre et de grandir qui se présentent à nous. Nous pouvons tirer profit de cette chance à tout moment de notre vie, et ce, jusqu'à notre dernier souffle. Montrons-nous donc curieux et demandons-nous comment nous pouvons approfondir notre vie lorsque nous réagissons à des situations de détresse. Est-il possible d'acquérir davantage de courage et de patience, ou encore de travailler sur notre compassion, notre persévérance et notre capacité de pardonner ?

Avez-vous déjà entendu le vieil adage disant que «lorsque l'élève est prêt, le maître apparaît» ? Il fut un temps où ce dicton avait le don de m'exaspérer. Je considérais qu'il s'agissait d'une ânerie «nouvel âge» parmi tant d'autres. Je croyais que cela signifiait qu'un gourou apparaîtrait comme par magie devant nous dès que nous serions prêts à recevoir le secret de la pleine conscience. Aujourd'hui, cependant, je l'interprète autrement. Je comprends plutôt son sens comme ceci : si nous sommes disposés à apprendre, il est possible de le faire à partir de toutes les circonstances que la vie nous propose. Peu importe à quel point les épreuves auxquelles nous faisons face sont terrifiantes ou douloureuses, il est toujours possible d'en retirer quelque chose d'utile.

Au cours des trois dernières années, j'en suis venu à considérer mon fils comme le meilleur enseignant que j'aie jamais connu. (Mon esprit me souligne que cela sonne comme le plus éculé des clichés, mais c'est pourtant vrai!) Il me donne tous les jours des leçons inestimables. Naturellement, je me sens très triste lorsque je pense à tous les défis que doit relever mon fils quotidiennement, à toutes les choses qu'il a manquées, aux efforts qu'il doit consentir et à toutes les difficultés qu'il doit surmonter dans la vie. Je suis tout aussi inquiet quand je songe à son avenir. Au moment où j'écris ce livre, mon fils s'en sort très bien au niveau préscolaire. Avec l'aide d'un tuteur privé qui le suit à temps partiel, il parvient à se faire des amis, à participer activement à la vie en classe et à s'intégrer au groupe. Toutefois, nous savons tous à quel point les enfants peuvent être cruels. Nous savons à quel point ils peuvent se montrer sans pitié pour les élèves qui sont ostensiblement «différents». Je crains que mon fils ne devienne la cible de leurs brimades en grandissant. Certes, cela pourrait bien ne *jamais* arriver (et j'espère que ce sera le cas), mais il y a de fortes chances pour que cela se produise. Le simple fait d'y penser suffit à me donner des sueurs froides.

Je ressens donc beaucoup de peur et énormément de tristesse en pensant à lui, mais, au milieu de ces émotions, je ressens également beaucoup d'amour, de joie et de gratitude. Il est difficile de décrire l'amour infini que j'éprouve pour mon fils, la joie immense qu'il me donne et la gratitude incommensurable que j'éprouve depuis que je l'ai dans ma vie. Imaginez maintenant que vous me disiez: «Russ, j'ai ici un gadget...», et que vous sortiez une petite boîte argentée de votre poche. Sur le couvercle de cette boîte, on pourrait voir un gros bouton rouge. Vous me diriez alors: «Russ, cet appareil est génial. Tout ce que tu as à faire, c'est d'appuyer sur ce bouton rouge pour que toutes tes craintes et ta tristesse disparaissent complètement. Il n'y a qu'un petit effet secondaire à cela: lorsque tu appuieras sur ce bouton, tu ne te *préoccuperas* plus de ton fils. Il n'aura plus aucune importance pour toi. Tu ne te soucieras plus de la façon dont il se sent, de la façon dont les autres enfants le traitent, de savoir s'il a des amis ou de ce qu'il fait après l'école. Tu ne te soucieras même pas de savoir s'il est vivant ou s'il est mort. » Croyez-vous que j'appuierais sur ce bouton ?

Si nos rôles étaient inversés et si vous étiez à ma place, appuieriez-vous sur ce bouton ?

C'est ce que la vie nous offre comme possibilité. Si nous choisissons de nous en faire pour quelqu'un ou pour quelque chose, alors il est presque inévitable que nous rencontrions un fossé à un moment ou à un autre : un fossé séparant ce que nous avons de ce que nous voulons. Lorsque cela se produira, des sentiments douloureux surgiront en nous. *Les choses qui nous tiennent à cœur peuvent aussi nous briser le cœur.*

Pouvons-nous accepter ces sentiments douloureux et les considérer comme une partie importante de ce que nous sommes ? Pouvons-nous reconnaître qu'ils nous communiquent quelque chose de précieux : que nous sommes en vie, que nous avons un cœur et que nous avons des préoccupations légitimes.

Ces sentiments transcendent nos différences et nous unissent, alors que nous partageons notre souffrance avec tous les autres habitants de cette planète. Ce n'est qu'une fois que nous avons vécu la souffrance que nous pouvons comprendre ce que vivent les autres qui passent par là à leur tour ; ce n'est qu'à ce moment que nous pourrons vraiment saisir ce qu'est l'empathie. Il est alors possible d'apprécier la façon dont notre souffrance nous permet de bâtir des relations enrichissantes avec les autres : nous établissons une *connexion* avec leur souffrance, nous éprouvons de la *considération* pour eux et nous leur apportons notre *contribution* en les traitant avec gentillesse quand ils souffrent.

Nos émotions sont une partie intégrante de ce que nous sommes, au même titre que nos bras et nos jambes. Avons-nous par conséquent vraiment besoin d'essayer de les éviter, de les fuir ou de les combattre, alors que nous pouvons apprendre à les chérir ? Lorsque nos bras ou nos jambes subissent une coupure, se cassent ou sont atteints d'une infection quelconque, ils nous causent naturellement de la souffrance. Nous n'entrons pas pour autant en conflit avec nos membres parce qu'ils nous font mal. Il ne nous vient pas à l'idée que notre vie serait plus agréable si nous pouvions nous passer d'eux. Nous apprécions plutôt leur contribution à notre vie.

Attardons-nous maintenant à la partie de nous qui éprouve de la considération pour diverses choses. Qu'arriverait-il si nous pouvions vraiment chérir cette capacité et être reconnaissant pour ce qu'elle apporte à notre vie ? Parce qu'il faut bien comprendre que si nous n'avions pas de considération pour quoi que ce soit, nous ne pourrions pas éprouver de douleur, mais nous ne serions pas non plus capables d'éprouver du bonheur, d'aimer ou de rire. Nous traverserions notre existence comme des zombies ; rien n'aurait de sens et tout nous serait égal. Nous ne serions jamais déçus ou frustrés, mais nous ne serions jamais non plus contents ou satisfaits. Notre capacité à éprouver de la considération nous permet de vivre une vie qui a une raison d'être : d'entretenir des relations enrichissantes, de nous motiver, de découvrir les trésors de la vie et de les chérir. Sachant cela, ne devrions-nous pas être reconnaissants de posséder cette capacité, même si elle est également responsable de tant de souffrance ?

Réfléchissons maintenant à notre capacité de *ressentir* des émotions. Pouvons-nous apprécier l'incroyable aptitude de notre cerveau consistant à recevoir des millions de signaux électrochimiques en provenance des différentes parties de notre corps pour les décoder et les interpréter instantanément, et nous permettre de ressentir ce que nous ressentons ?

Imaginez un instant que cette aptitude ne fonctionne plus. Imaginez un monde dans lequel nous ne ressentirions plus jamais rien ? Pouvez-vous concevoir tout ce que nous manquerions ? À quel point notre vie serait vaine ?

Une fois que nous avons fait l'effort intellectuel d'éprouver de la compassion pour nous-mêmes, de jeter l'ancre et de prendre position, pouvons-nous analyser les émotions difficiles qui montent en nous et les traiter avec respect et gentillesse ? Pouvons-nous leur faire de la place, les laisser aller et venir en paix et leur offrir notre bienveillante attention ? Pouvons-nous établir un lien avec elles, avec curiosité et ouverture ? Pouvons-nous réfléchir à la façon dont elles nous rappellent ce qui nous tient vraiment à cœur ? Pouvons-nous cesser de considérer que ces sentiments sont simplement *mauvais* et en premier lieu apprécier le fait qu'ils existent ?

J'ai gardé ce chapitre pour la fin parce que je suis conscient qu'il s'agit de la chose la plus difficile que je propose dans ce livre. Tolérer la douleur est un exercice difficile ; l'accepter est autrement plus ardu.

Pourtant, c'est possible. Plus nous réfléchissons au privilège que nous avons de ressentir des émotions humaines – plus nous pensons à la chance que nous avons d'éprouver de la considération et une gamme aussi complexe de sentiments –, plus nous apprécions *toutes* nos émotions. Certes, ce privilège s'accompagne d'un certain prix à payer. Avec la passion vient la douleur. Avec la considération vient la déception. Avec l'émerveillement viennent la peur et l'angoisse. Malgré cela, il est important de considérer le bon côté des choses ; songez à ce que serait votre vie sans tout cela.

Réfléchissez également aux questions suivantes : Quel est le secret de l'épanouissement durable ? Quelle est l'essence de la vitalité humaine ? Qu'est-ce qui est au cœur de toutes ces choses que l'on appelle l'*amour* ? C'est la connexion, la considération et la contribution. Il n'existe sûrement pas de privilège qui soit plus grand que cela, non ?

Je vous encourage donc à tirer le maximum de ce privilège : à vivre avec un sentiment de présence et avec une raison d'être assumée. Je vous enjoins par ailleurs d'être réaliste : reconnaissez que vous oublierez sans doute souvent ce conseil. Heureusement, dès que vous vous en souviendrez, vous aurez un choix. Vous pourrez vous traiter gentiment, avec considération, avant de jeter l'ancre et de prendre position. C'est là, à ce moment, que vous pourrez trouver le trésor : cet épanouissement qui est toujours présent, en vous, même lorsque la vie ne semble être faite que de souffrances.

Les techniques de défusion et de neutralisation

La défusion est le processus qui nous permet de décrocher de nos pensées. Nous pouvons ainsi les voir pour ce qu'elles sont réellement et les laisser aller et venir en nous. Il existe trois principales stratégies de défusion : *remarquer, nommer* et *neutraliser*. Les méthodes nous permettant de remarquer et de nommer les pensées nuisibles sont décrites en détail au chapitre 6. Pour neutraliser nos pensées, il nous faut les placer dans un nouveau contexte où nous pouvons rapidement reconnaître qu'elles ne sont rien de plus (ou de moins) que des mots et des images. Ce faisant, nous neutralisons le pouvoir qu'elles ont sur nous.

Les techniques de neutralisation nous demandent généralement d'accentuer les propriétés visuelles des pensées (pour les *voir* davantage) ou leurs propriétés auditives (pour les *entendre* davantage). Je vous encourage à vous exercer avec les techniques qui suivent et à être curieux de voir ce qui pourrait se produire. Il est impossible de prévoir avec certitude quelles sont les techniques qui fonctionneront le mieux pour vous : chacune d'entre elles pourrait n'avoir aucun effet, vous permettre une certaine défusion ou vous aider considérablement à défusionner d'avec vos pensées. (Par moments, ces techniques peuvent même créer plus de fusion encore ; cela n'est pas fréquent, mais pas impossible non plus.)

N'oubliez jamais que l'objectif de la défusion n'est *pas* de se défaire de nos pensées indésirables ou de diminuer nos sentiments douloureux. L'objectif de la défusion est *simplement* de vous encourager à vous engager pleinement dans votre vie plutôt que de vous perdre dans vos pensées ou de les laisser vous contrôler.

Lorsque nous défusionnons d'avec nos pensées néfastes, nous remarquons souvent qu'elles ne tardent pas à *disparaître* ou à devenir moins désagréables. Cependant, un tel résultat ne devrait être vu que comme un *avantage collatéral*. Si cela vous arrive, appréciez ce bienfait à sa juste valeur. Cependant, ne vous attendez pas à ce que cela se produise à coup sûr : si vous commencez à utiliser la défusion pour obtenir de tels effets, vous aurez tôt fait d'être déçu.

Je vous invite à essayer les techniques suivantes et à vous montrer curieux de ce qui pourra se produire. Si vous en trouvez une ou deux qui peuvent vraiment vous aider à défusionner, répétez-les durant plusieurs semaines pour voir l'influence qu'elles auront dans votre vie. À l'inverse, si certaines techniques vous semblent avoir pour effet de minimiser vos pensées, d'en nier l'importance ou de les discréditer, ne les utilisez *pas*.

Dans un premier temps, je vous conseille de noter les pensées qui vous accrochent et vous troublent le plus fréquemment sur une feuille de papier. Pour chacune des techniques, choisissez une de ces pensées. Ce sera celle avec laquelle vous travaillerez en suivant les différentes étapes de l'exercice. N'oubliez pas de vous montrer curieux et ouvert par rapport à ce qui pourrait se produire.

LES TECHNIQUES DE NEUTRALISATION VISUELLES

Coucher ses pensées sur papier

Écrivez deux ou trois pensées dérangeantes sur une grande feuille de papier. (Si vous n'avez pas de papier ni de crayon sous la main, vous pourrez essayer de faire cet exercice en utilisant uniquement votre imagination.)

Tenez la feuille devant vous et laissez ces pensées difficiles vous absorber pendant quelques secondes.

Placez ensuite la feuille sur vos genoux. Regardez autour de vous et remarquez ce que vous pouvez voir, entendre, toucher, goûter et sentir.

Remarquez les pensées qui sont encore avec vous. Remarquez comment elles n'ont pas changé du tout : vous les connaissez encore en détail. Cependant, elles semblent avoir un moins grand impact sur vous lorsque vous les posez sur vos genoux que lorsque vous les tenez juste devant votre visage, n'est-ce pas ?

Reprenez votre feuille et dessinez un bonhomme allumette sous ces pensées (si vous en êtes capable, vous pouvez dessiner un personnage de bande dessinée). Tracez une bulle de pensée autour des mots que vous avez écrits sur la feuille, comme s'ils venaient de la tête de votre bonhomme (à l'image des bulles de pensée que l'on voit dans les BD). Regardez maintenant votre « bande dessinée » : percevez-vous une différence dans la façon dont vous voyez ces pensées maintenant qu'elles ne semblent plus provenir de votre propre tête ?

Essayez cet exercice plusieurs fois, avec différentes pensées et différents types de bonshommes allumettes (ou de dessins). Changez le visage de votre bonhomme en le faisant sourire, en lui donnant un visage triste, en lui dessinant des cheveux hérissés ou de grosses dents, par exemple. Vous pourrez remplacer le bonhomme par le dessin d'un chien, d'un chat ou d'une fleur. Quelle différence observez-vous lorsque ce sont ces personnages qui ont vos pensées ? Est-ce que cela vous aide à les considérer comme une série de mots, sans plus ?

L'écran d'ordinateur

Vous pourrez faire cet exercice dans votre tête ou sur un écran d'ordinateur. (Pour la plupart des gens, il est toutefois plus facile et plus efficace de le faire à l'ordinateur.) Commencez par écrire (ou par imaginer) quelques pensées difficiles à l'écran, en lettres minuscules et dans une police standard de couleur noire. Puis changez l'allure de vos pensées en modifiant le style de police, la couleur et la taille des lettres. Remarquez ce que vous ressentez à chacun de ces changements. (Il faut noter que les lettres majuscules rouges en caractères gras, par exemple, ont tendance à provoquer la fusion chez la majorité des gens, tandis que les lettres minuscules roses sont plus susceptibles de susciter la défusion.)

Remettez ensuite l'ensemble du texte en lettres minuscules noires. Cette fois, apportez des modifications sur la mise en page. Espacez les mots en plaçant de grands blancs entre eux, par exemple.

Essayez de regrouper l'ensemble des mots en ne laissant aucun espace entre eux pour qu'ils forment un seul et unique mot très long.

Écrivez vos pensées à la verticale.

Replacez-les à présent dans une phrase normale.

Comment vous sentez-vous par rapport à ces pensées, maintenant? Est-il plus facile de voir qu'il ne s'agit que d'une série de mots? (Souvenez-vous que nous ne cherchons pas à savoir si vos pensées sont vraies ou fausses; nous voulons simplement être capables de les voir pour ce qu'elles sont, sans plus.)

La petite boule du karaoké

Imaginez que vos pensées forment les mots d'une chanson qui défile à l'écran dans un karaoké.

Imaginez une petite boule qui saute de mot en mot à l'écran. Répétez cet exercice à plusieurs reprises.

Si vous le souhaitez, vous pourrez même imaginer que vous êtes sur scène et que vous chantez les mots qui défilent à l'écran.

Les scénarios changeants

Imaginez vos pensées dans une variété de contextes différents. Prenez de cinq à dix secondes pour imaginer chacun des scénarios, puis passez au suivant. Vous pourrez ainsi imaginer vos pensées écrites:

- en lettres colorées sur la couverture d'un livre pour enfants;
- dans une calligraphie soignée sur le menu d'un grand restaurant;
- en glaçage sur un gâteau d'anniversaire;

- à la craie sur un tableau noir ;
- comme un slogan sur le t-shirt d'un joggeur.

Des feuilles dans un ruisseau ou des nuages dans le ciel

Imaginez des feuilles qui flottent doucement dans un ruisseau ou des nuages qui passent tranquillement dans le ciel. Prenez vos pensées, placez-les sur ces feuilles ou sur ces nuages, puis regardez-les s'en aller paisiblement.

LES TECHNIQUES DE NEUTRALISATION AUDITIVES

Les voix rigolotes

Déclamez vos pensées en employant différentes voix rigolotes, à voix haute ou dans votre tête. (En général, il est plus facile de défusionner quand nous nous disons nos pensées à voix haute, mais naturellement il faut bien choisir l'endroit et le moment. Ce n'est pas très bien vu dans une rencontre d'affaires, par exemple !) Vous pourrez choisir la voix d'un personnage de dessin animé, d'un acteur célèbre, d'un commentateur sportif ou d'une personne qui s'exprime avec un accent étranger prononcé. Essayez plusieurs voix, puis remarquez ce qui se produit.

Lentement et rapidement

Dites-vous vos pensées (en silence ou à voix haute) de façon extrêmement ralentie dans un premier temps, puis à vitesse grand V (vous aurez alors une voix s'apparentant à celle d'Alvin dans *Alvin et les Chipmunks*).

En chantant

Chantez vos pensées (en silence ou à voix haute) sur l'air de la chanson *Joyeux anniversaire*. Essayez ensuite quelques autres airs connus différents.

CRÉEZ VOS PROPRES TECHNIQUES DE NEUTRALISATION

À vous, maintenant, d'inventer vos propres techniques de neutralisation. Tout ce que vous avez à faire, c'est de placer vos pensées dans un nouveau contexte qui vous permettra de les *voir* ou de les *entendre* différemment. Vous pouvez par exemple visualiser vos pensées peintes sur une toile, écrites sur une carte postale, imprimées sur la poitrine d'un superhéros de bande dessinée, gravées sur le bouclier d'un chevalier du Moyen Âge, inscrites en grosses lettres sur une bannière tirée par un avion dans le ciel, tatouées sur le dos d'un motard ou écrites sur le côté d'un zèbre, entre ses lignes noires et blanches. Vous pouvez aussi les peindre, les sculpter ou les dessiner. Il est également possible de les imaginer en train de danser, de sauter ou de jouer au football. Vous pouvez visualiser vos pensées défilant à l'écran comme le générique d'un film, à moins que vous ne préfériez les imaginer récitées par un grand poète, diffusées à la radio, prononcées par un robot ou chantées par une vedette du rock. Les seules limites sont celles de votre imagination, alors n'hésitez pas à expérimenter et à vous amuser avec diverses techniques.

ANNEXE 2
La pleine conscience par la respiration

Cet exercice est très utile pour développer vos habiletés de pleine conscience. Avant de commencer, décidez combien de temps vous lui consacrerez; de vingt à trente minutes constitue un objectif idéal, mais vous pourrez le faire aussi longtemps que vous le désirez. (Je vous conseille d'utiliser un minuteur.)

Trouvez un endroit calme, où rien ne pourra vous distraire, que ce soit un animal de compagnie, un enfant ou un appel téléphonique, puis installez-vous de la façon la plus confortable possible, idéalement en vous asseyant sur une chaise ou sur un coussin. (Vous pouvez aussi vous coucher, mais attention de ne pas vous assoupir!) Si vous êtes assis, redressez le dos et relâchez vos épaules. Fermez ensuite les yeux ou regardez un endroit fixement.

Pendant les cinq ou six prochaines respirations, essayez de vider vos poumons; poussez tout l'air hors de vos poumons et videz-les complètement. Prenez une pause de quelques secondes, puis laissez-les se remplir d'eux-mêmes, de bas en haut.

Après cinq ou six de ces respirations, laissez votre respiration retrouver sa vitesse et son rythme naturels; inutile d'essayer de la contrôler.

Votre défi, pour le reste de cet exercice, est de maintenir votre attention sur votre respiration, en l'observant comme si vous étiez un enfant curieux qui n'a jamais prêté attention à ce phénomène. Remarquez les différentes sensations que vous ressentez dans votre corps alors que l'air circule en vous.

Remarquez ce qui se passe dans vos narines.

Remarquez ce qui se passe dans vos épaules.

Remarquez ce qui se passe dans votre poitrine.

Remarquez ce qui se passe dans votre abdomen.

Suivez les mouvements de votre respiration en vous avec ouverture et curiosité, en prêtant attention à la succession de sensations que vous ressentez dans votre nez, vos épaules, votre poitrine et votre abdomen.

Lorsque vous faites cet exercice, laissez votre esprit jacasser comme s'il s'agissait d'une radio que vous auriez laissée allumée dans une autre pièce. N'essayez pas de le faire taire, vous ne réussiriez qu'à lui accorder plus d'attention qu'il ne faut. Laissez-le simplement parler à sa guise, en concentrant toute votre attention sur votre respiration.

De temps à autre, votre esprit vous accrochera en vous proposant une pensée qui vous fera sortir de l'exercice. Cela est normal et tout à fait naturel – et cela se reproduira fort probablement. (En fait, sachez que vous êtes sur la bonne voie si plus de dix secondes se sont écoulées avant que cela ne se produise !)

Lorsque vous vous apercevez que vous avez été accroché par une pensée, reconnaissez-le doucement. Dites-vous silencieusement : « Ça y est, je suis accroché. » Ou hochez la tête avant de reporter votre attention sur votre respiration.

Ces « accrochages » se produiront encore et encore. Chaque fois que vous défusionnez d'avec vos pensées pour reporter votre attention sur votre respiration, vous développez votre habileté à vous concentrer. Si votre esprit vous accroche un millier de fois, il vous suffira de retourner à votre respiration mille et une fois.

À mesure que l'exercice progresse, les sensations que vous ressentez dans votre corps changent : vous remarquez que certaines sont agréables, comme la détente, le calme et la paix intérieure, alors que d'autres le sont moins, comme le mal de dos, la frustration ou l'anxiété. L'objectif est de permettre à vos sentiments d'être tels qu'ils sont, qu'ils soient agréables ou non. N'oubliez pas qu'il ne s'agit pas d'une technique de relaxation. Vous n'essayez pas de vous relaxer. Il n'y a donc aucun problème si vous vous sentez stressé, anxieux, ennuyé ou impatient. Votre objectif est simplement de permettre à vos sentiments d'exister en vous tels qu'ils se présentent, sans lutter contre eux. Si un sentiment difficile pointe le bout de son nez, nommez-le silencieusement : « Voici l'ennui. » « Voilà la frustration. » « Bonjour l'anxiété ! » Laissez ce sentiment exister, et concentrez votre attention sur votre respiration.

Continuez ainsi, en étant attentif à votre respiration, en reconnaissant les sentiments désagréables qui existent en vous et en vous décrochant de vos pensées jusqu'à ce que vous atteigniez la fin du temps que vous vous étiez fixé au départ. Vous pourrez alors vous étirer avant de participer pleinement au monde qui vous entoure. N'oubliez pas de vous féliciter pour avoir pris le temps de vous exercer à développer cette habileté fort utile.

ANNEXE 3
La clarification des valeurs

Ce document est tiré de mon livre *Le grand saut : de l'inertie à l'action* (Les Éditions de l'Homme).

JETER UN COUP D'ŒIL SUR NOS VALEURS

Les valeurs représentent les désirs les plus profonds de votre cœur quant à la façon dont il souhaite que vous vous comportiez en tant qu'être humain. Les valeurs ne sont pas définies en fonction de ce que vous voulez obtenir ou atteindre dans la vie ; elles témoignent de la façon dont vous voulez agir et vous comporter sur une base quotidienne.

Il existe des centaines de valeurs différentes, mais la liste suivante vous présente les plus courantes d'entre elles. Il est probable qu'elles ne seront pas toutes pertinentes dans votre cas. Gardez à l'esprit qu'il n'y a pas de *bonnes* ou de *mauvaises* valeurs. C'est un peu comme la pizza. Si vous l'aimez avec de la mozzarella et des champignons alors que je la préfère avec des tomates et des olives, cela ne signifie pas que mes goûts sont les *bons* et que les vôtres sont les *mauvais*. Nous avons tout simplement des goûts différents. De même, nous pouvons avoir des valeurs différentes. Lisez la liste de valeurs suivante et mettez une lettre devant chacune : A = très importante ; B = assez importante ; C = pas très importante.

1. Acceptation: Faire preuve d'ouverture d'esprit et d'acceptation de soi-même, des autres, de la vie, etc.
2. Aventure: Faire preuve d'un esprit d'aventure; chercher activement à vivre, à créer ou à explorer de nouvelles expériences stimulantes.
3. Affirmation de soi: Savoir défendre ses droits et réclamer ce que l'on veut.
4. Authenticité: Être vrai et être fidèle à soi-même.
5. Beauté: Savoir apprécier, créer et cultiver ce qui est beau en soi, chez les autres, dans son entourage et ainsi de suite.
6. Sollicitude: Être attentionné envers soi-même, envers les autres, son entourage, etc.
7. Défi: Se mettre au défi de grandir, d'apprendre et de s'améliorer.
8. Compassion: Agir avec bonté envers ceux qui souffrent.
9. Contribution: Aider à changer les choses de manière positive pour soi et pour les autres.
10. Conformité: Respecter les règles et ses propres obligations.
11. Connexion: S'investir pleinement dans ce que l'on fait et être complètement présent et disponible pour les autres.
12. Coopération: Coopérer et collaborer avec les autres.
13. Courage: Être brave et persévérer malgré l'adversité, la peur, les menaces ou les difficultés.
14. Créativité: Faire preuve de créativité et d'imagination.
15. Curiosité: S'ouvrir l'esprit et s'intéresser à tout dans le but d'explorer et de découvrir.
16. Encouragement: Récompenser les comportements que l'on apprécie chez soi et chez les autres.
17. Égalité: Traiter les autres comme des égaux et exiger la même chose d'eux.
18. Enthousiasme: Chercher activement à prendre part à des activités stimulantes, à créer et à vivre de nouvelles expériences stimulantes, excitantes ou exaltantes.
19. Équité: Être juste avec soi-même et avec les autres.
20. Bonne forme physique: Maintenir sa forme physique ou l'améliorer; prendre soin de sa santé physique et de sa santé mentale.
21. Souplesse: S'adapter et s'ajuster selon les circonstances.

22. Liberté : Vivre librement ; choisir comment on vit et comment on agit, ou aider les autres à faire de même.

23. Convivialité : Se conduire de manière amicale et agréable avec les autres.

24. Pardon : Savoir pardonner à soi-même et aux autres.

25. Divertissement : Chercher activement à se divertir et à avoir du plaisir.

26. Générosité : Savoir partager, et savoir donner et recevoir.

27. Gratitude : Apprécier ses bons côtés ainsi que ceux des autres et en éprouver de la reconnaissance.

28. Honnêteté : Être honnête, vrai et sincère avec soi-même et avec les autres.

29. Humour : Voir et apprécier le côté humoristique de la vie.

30. Humilité : Être humble ou modeste ; laisser ses réalisations faire sa réputation.

31. Vaillance : Être vaillant et travailler fort, avec dévouement.

32. Indépendance : Assurer sa subsistance et choisir sa propre façon de faire les choses.

33. Intimité : S'ouvrir et se révéler à son partenaire – émotionnellement ou physiquement – dans un esprit de partage.

34. Justice : Défendre la justice et l'équité.

35. Bonté : Faire preuve de bonté, de compassion, de délicatesse et de sollicitude envers soi-même et envers les autres.

36. Amour : Se témoigner de l'amour et de l'affection et en témoigner aux autres.

37. Pleine conscience : Être conscient du moment présent, s'y ouvrir avec curiosité et l'apprécier pleinement.

38. Ordre : Être ordonné et bien organisé.

39. Ouverture d'esprit : Savoir réfléchir en profondeur, voir les choses de différents points de vue et bien peser le pour et le contre.

40. Patience : Savoir attendre patiemment ce que l'on veut, sans s'irriter.

41. Persévérance : Continuer résolument, malgré les problèmes et les difficultés.

42. Plaisir : Se faire plaisir et faire plaisir aux autres.

43. Pouvoir : Influencer les autres et avoir de l'autorité sur eux ; prendre les choses en main, diriger et organiser.

44. Réciprocité : Établir des relations dans lesquelles il y a un juste équilibre entre *donner* et *recevoir*.
45. Respect : Se respecter et respecter les autres ; privilégier la politesse, la délicatesse et la considération pour les autres.
46. Responsabilité : Être responsable de ses actes et les assumer.
47. Romantisme : Être romantique et exprimer l'amour et l'affection que l'on éprouve.
48. Sécurité : Assurer sa propre sécurité et celle des autres.
49. Conscience de soi : Prendre conscience de ses pensées, de ses émotions et de ses actions.
50. Soin de soi : Prendre soin de sa santé et de son bien-être, et combler ses besoins.
51. Perfectionnement de soi : Continuer à grandir, à apprendre et à améliorer ses connaissances, ses habiletés, son caractère et ses expériences de vie.
52. Maîtrise de soi : Agir conformément à ses propres idéaux.
53. Sensualité : Créer et prendre plaisir à des expériences qui stimulent les cinq sens.
54. Sexualité : Explorer ou exprimer sa sexualité.
55. Spiritualité : Se connecter à des choses plus grandes que soi.
56. Adresse : Exercer continuellement ses habiletés et s'investir pleinement lorsqu'on les utilise.
57. Soutien : Savoir soutenir, aider et encourager les autres, tout comme soi-même, et se rendre disponible.
58. Confiance : Être digne de confiance ; être loyal, fidèle, sincère.
59. Insérez ici une de vos valeurs qui ne figure pas ci-dessus.
60. Insérez ici une de vos valeurs qui ne figure pas ci-dessus.

■ ■ ■

Une fois que vous aurez noté A, B ou C devant chaque valeur, passez en revue toutes les valeurs précédées d'un A et choisissez parmi elles les six valeurs qui comptent le plus à vos yeux. Ajoutez un 6 devant chacune d'elles pour indiquer qu'elles font partie de vos six principales valeurs.

ANNEXE 4
Se fixer des objectifs

Se fixer des objectifs de façon efficace est une habileté complexe qui demande un certain entraînement avant d'être maîtrisée.

La méthode qui suit a été adaptée avec autorisation des ateliers et cours en ligne «The Weight Escape», d'Ann Bailey, Joe Ciarrochi et Russ Harris. (Leur livre, *The Weight Escape*, a été publié par Penguin Books Australie en juin 2012.)

Vous pouvez télécharger une version gratuite de ces feuilles d'exercice en format PDF (en anglais) sur le site Web de Free Resources (www.thehappinesstrap.com).

Le plan en cinq étapes pour établir des buts et planifier des actions engagées

Première étape. Nommer vos valeurs fondamentales
Nommer la ou les valeurs qui sous-tendront votre plan d'action.

_____
_____
_____
_____

Deuxième étape. Établir un objectif pertinent
Écrire le premier objectif qui vous passe par la tête n'est pas la meilleure chose à faire. Idéalement, votre objectif doit avoir ces cinq caractéristiques essentielles :

1. Spécifique. (Ne choisissez pas un objectif vague, ambigu ou mal défini comme : « Je devrais être plus aimable. » Essayez d'être plus précis : « J'étreindrai longuement mon partenaire lorsque je rentrerai à la maison après le travail. »)
2. Conséquent. (Assurez-vous que cet objectif est en accord avec vos valeurs les plus importantes.)
3. Fécond. (Est-ce que cet objectif est susceptible d'améliorer votre vie d'une façon ou d'une autre ?)
4. Réaliste. (Assurez-vous que votre objectif est réaliste et tient compte des ressources dont vous disposez. Ces ressources pourraient inclure : votre temps, votre argent, votre santé, le soutien social dont vous disposez, vos connaissances et vos habiletés. Si vous n'avez pas accès à certaines ressources qui vous seraient nécessaires, il vous faut modifier votre objectif pour le rendre plus réaliste. Ce nouvel objectif pourrait justement être de trouver les ressources qui vous manquent : épargner de l'argent, développer une habileté, élargir votre réseau social, améliorer votre santé, etc.)
5. Limité par le temps. (Définissez les paramètres temporels de votre objectif. Spécifiez la date et le moment auxquels vous accomplirez les actions que vous vous proposez de faire, avec autant de précision que possible.)

Écrivez votre objectif répondant à ces cinq critères ici :

_____

_____

_____

_____

Troisième étape. Évaluer les avantages

Clarifiez pour vous-même les résultats les plus positifs que vous pourriez obtenir en réalisant votre objectif. (Cependant, ne commencez pas à rêver à la vie merveilleuse que vous pourrez mener une fois que vous aurez atteint cet objectif. Les recherches démontrent que les rêveries à propos de l'avenir peuvent en fait diminuer nos chances de persévérer dans nos efforts !) Écrivez les avantages attendus :

_____

_____

_____

_____

Quatrième étape. Cerner les obstacles

Imaginez les difficultés et les obstacles qui pourraient vous empêcher d'atteindre vos objectifs, ainsi que la façon dont vous les affronterez en temps et lieu. Considérez les éléments suivants :

- Quelles difficultés *internes* pourriez-vous rencontrer ? (Les pensées et les sentiments difficiles comme le manque de motivation, le doute, la détresse, la colère, le désespoir, l'insécurité, l'anxiété, etc.)
- Quelles difficultés *externes* pourriez-vous rencontrer ? (Toutes les choses, à part vos pensées et sentiments difficiles, qui pourraient vous barrer la route, comme le manque d'argent, de temps et d'habiletés, ou encore des conflits personnels avec des gens qui ont une part à jouer dans votre objectif.)

Si des difficultés internes telles que _____

_____

_____

_____

se dressent sur mon chemin, j'utiliserai les habiletés de pleine conscience suivantes pour me détacher de ces pensées ou sentiments difficiles, leur faire de la place en moi et redevenir présent :

_____

_____

_____

_____

Si des difficultés externes telles que

a) _____

b) _____

c) _____

se dressent dans mon chemin, je ferai les actions suivantes pour les surmonter :

a) _____

b) _____

c) _____

Cinquième étape. S'engager

Les recherches démontrent que si vous vous engagez publiquement à prendre les mesures nécessaires pour atteindre votre objectif (c'est-à-dire si vous faites part de votre objectif à au moins une autre personne), vous avez de bien meilleures chances d'y arriver. Si vous ne souhaitez pas faire cela, alors vous pouvez à tout le moins vous engager à réaliser votre objectif auprès de vous-même. Cependant, si vous voulez *vraiment* obtenir les meilleurs résultats possible, vous devriez vous engager auprès de quelqu'un d'autre.

Je m'engage à (*écrivez votre objectif répondant aux cinq critères énumérés plus haut*) :

_____

_____

_____

Maintenant, répétez cet engagement à voix haute (idéalement à quelqu'un d'autre ou, si ce n'est pas possible, à vous-même).

Quelques autres suggestions pour établir un objectif

- Établissez un plan détaillé : subdivisez votre objectif en plus petites étapes concrètes, délimitées dans le temps et mesurables.

- Parlez de votre objectif à d'autres personnes et faites-leur part de votre progression : le fait de rendre votre objectif public vous aidera à faire les efforts nécessaires pour l'atteindre.

- Récompensez-vous lorsque vous avancez dans la poursuite de votre objectif : ces petites récompenses peuvent vous encourager à obtenir de meilleurs résultats encore. (Les récompenses pourraient être aussi simples que de se dire : «Bien joué! Tu as fait un joli départ!»)

- Notez votre progression : tenez un journal, faites un graphique ou des dessins qui illustrent votre progression.

L'analyse du comportement appliquée, la théorie des cadres relationnels et le développement de l'enfant

D ans le domaine de l'autisme et des enfants ayant des *besoins particuliers*, les thérapies dérivées de l'analyse du comportement appliquée comportent de grands avantages par rapport aux autres types de traitements. Parmi les principaux avantages de l'analyse du comportement appliquée, mentionnons :

- les résultats aisément mesurables et quantifiables ;
- la possibilité d'adapter le programme aux besoins spécifiques de l'individu ;
- des méthodes fondées sur les observations de la science fondamentale relatives à la façon d'apprendre des humains et à leurs interactions avec le monde qui les entoure.

Comme nous l'avons vu au chapitre 17, les programmes d'analyse du comportement appliquée considèrent l'autisme, dans l'ensemble, comme un déficit d'habiletés fondamentales. Typiquement, les enfants autistes ont des lacunes importantes dans la plupart des domaines suivants, sinon dans l'ensemble d'entre eux : la capacité de raisonnement, les habiletés langagières et de communication, les habiletés de jeu, les habiletés sociales et la capacité d'attention. Les thérapeutes aident les enfants à développer ces habiletés en les segmentant en étapes plus petites et plus faciles à appréhender. Ils leur demandent de s'y exercer encore et encore, en leur offrant une quantité incroyable d'encouragements et de récompenses. Le programme d'analyse du comportement appliquée le mieux documenté et le plus répandu est le programme Lovaas. Environ 90 p. 100 des enfants autistes font des progrès significatifs lorsqu'ils participent à ce programme. Mieux encore, 50 p. 100 de ces enfants s'améliorent à un point tel qu'ils sont en mesure d'avoir un fonctionnement intellectuel et scolaire normal, avec un quotient intellectuel égal ou supérieur à la moyenne. Pour un observateur extérieur, il est alors impossible de les distinguer des autres enfants.

Il n'est donc pas surprenant que les programmes d'analyse du comportement appliquée soient considérés comme les plus efficaces par les professionnels qui souhaitent utiliser des approches reposant sur des expériences cliniques. En effet, en 2010, l'Académie américaine de pédiatrie a indiqué que l'analyse du comportement appliquée était le *seul* traitement pour l'autisme dont l'efficacité était confirmée par des preuves formelles. Il est extrêmement dommage que la plupart des gouvernements du monde ne voient pas encore les avantages énormes dont bénéficierait leur pays en subventionnant les programmes d'analyse du comportement appliquée. La seule exception que je connaisse est le Canada. Le gouvernement canadien subventionne les programmes d'analyse du comportement appliquée pour tous les enfants autistes de moins de sept ans. En moyenne, cela coûte un demi-million de dollars au gouvernement par enfant, mais cela lui permet d'économiser environ quatre millions de dollars en frais de santé à long terme. Il n'est pas nécessaire d'être un génie des mathématiques pour comprendre les conclusions à tirer de ces chiffres.

L'analyse du comportement appliquée a cependant ses critiques et ses opposants. Malheureusement, la plupart de ces gens fondent leurs critiques sur ce que cette technique était il y a quarante ans. Je trouve cela dommage et plutôt étrange : imaginez que l'on critique la médecine moderne en se basant sur ce que les médecins faisaient il y a quarante ans ! Les opposants de l'analyse du comportement appliquée ne semblent pas se rendre compte que ces programmes ont changé considérablement en quelques décennies, et qu'ils ne ressemblent plus à ceux d'autrefois. En particulier, ils n'utilisent plus les stimuli aversifs (des stimuli répulsifs qui avaient pour fonction de diminuer les comportements indésirables). L'apprentissage des habiletés se fait maintenant de façon plus naturelle dans une multitude d'environnements différents (pour que l'enfant ne reste pas «collé» à son bureau comme cela se fait habituellement).

Malgré tout, certaines critiques des programmes d'analyse du comportement appliquée ne sont pas infondées. Il est en effet indéniable qu'en dépit de son efficacité, l'analyse du comportement appliquée a encore quelques inconvénients. Jusqu'à tout récemment, les médecins étaient incapables de rédiger des programmes basés sur les principes de l'analyse du comportement appliquée qui pouvaient cibler efficacement la théorie de l'esprit, les pensées déductives, la capacité de perspective, la conscience émotionnelle, la compassion et l'empathie. Ils n'étaient pas non plus capables de reproduire l'extraordinaire rapidité avec laquelle les enfants ne souffrant d'aucun trouble peuvent apprendre une langue. Tout cela a changé depuis le développement de la théorie des cadres relationnels. La théorie des cadres relationnels est une théorie de la cognition et du langage révolutionnaire qui est trop complexe pour être expliquée dans une simple annexe. Il faut cependant préciser que plus de cent quatre-vingts articles ont été publiés, au sujet de cette théorie, dans les meilleures revues scientifiques au cours des vingt dernières années, fournissant un corpus de recherche impressionnant et des preuves scientifiques répondant aux plus hauts standards qui soient.

La théorie des cadres relationnels ajoute un nouveau niveau d'analyse qui permet aux spécialistes de l'analyse du comportement appliquée de rédiger des programmes qui répondent aux besoins mentionnés plus haut, tout en maintenant la rigueur scientifique propre à ce programme. Les résultats sont donc toujours quantifiables et les techniques employées reposent sur une base factuelle solide. Grâce à l'apport de l'analyse offerte par la théorie des cadres relationnels, nous avons à présent une meilleure compréhension des besoins développementaux de l'enfant, ce qui nous permet de concevoir des interventions plus rapides, plus efficaces et produisant des impacts plus importants. Qui plus est, la théorie des cadres relationnels et la «troisième vague» des interventions comportementales (comme l'analyse du comportement appliquée) ont permis d'établir clairement quels sont les besoins pour un développement normal : la capacité et les habiletés permettant de se montrer flexible, conscient des expériences vécues et habilité à aller de l'avant dans la bonne direction.

Tous les thérapeutes de l'analyse du comportement appliquée qui désirent en apprendre plus sur la théorie des cadres relationnels et sur ses applications auprès des enfants autistes devraient commencer par lire le manuel d'introduction *Learning RFT : An Introduction to Relational Frame Theory and Its Clinical Application*, de Niklas Törneke. Puis, une fois que les bases de la théorie des cadres relationnels auront été assimilées, vous pourrez passer à *Derived Relational Responding Applications for Learners with Autism and Other Developmental Disabilities*, de Ruth Anne Rehfeldt et Yvonne Barnes-Holmes.

De l'avis général, le psychologue Darin Cairns est le plus grand spécialiste de l'utilisation de la théorie des cadres relationnels en relation avec l'autisme. On peut le joindre à l'adresse suivante : darincairns@gmail.com.

AUTRES RESSOURCES
Livres de Russ Harris

Le piège du bonheur : créez la vie que vous voulez, Les Éditions de l'Homme, Montréal, 2009.

Plusieurs des conceptions populaires du bonheur sont trompeuses, inexactes et peuvent nuire à notre épanouissement si nous nous y accrochons. *Le piège du bonheur* est un ouvrage de croissance personnelle qui a été écrit pour tous ceux qui veulent rendre leur vie plus enrichissante, plus complète et plus significative, tout en évitant les « pièges du bonheur » les plus courants. Les techniques de la thérapie ACT peuvent vous aider à réduire le stress, la dépendance, l'anxiété, la dépression, la pression que vous pouvez ressentir en tant que parent ou les défis associés à une maladie en phase terminale. Cet ouvrage est communément utilisé par les spécialistes de la thérapie ACT et par leurs clients dans le monde entier, et il a été traduit en vingt-deux langues. Rendez-vous sur le site www.thehappinesstrap.com pour obtenir des ressources gratuites que vous pourrez utiliser avec ce livre.

L'amour engagé : améliorez votre relation amoureuse grâce à la thérapie ACT, Les Éditions de l'Homme, Montréal, 2010.

Ce livre de croissance personnelle inspirant applique les principes de la thérapie ACT aux problèmes relationnels les plus courants. Il vous apprendra à vous éloigner des conflits, des luttes et des attitudes de rupture pour favoriser le pardon, l'acceptation, l'intimité et le véritable amour. Plusieurs ressources accompagnent ce livre et sont présentées à l'adresse suivante : www.thehappinesstrap.com.

Le grand saut : de l'inertie à l'action, Les Éditions de l'Homme, Montréal, 2011.

Y a-t-il un fossé entre votre situation actuelle et celle dont vous rêvez ? Le manque de confiance vous retient-il de décrocher un meilleur emploi, de trouver l'âme sœur, de poursuivre vos études ou de développer votre société ? La peur de ne pas être à la hauteur vous empêche-t-elle d'aller de l'avant ? Et si la meilleure façon d'acquérir une solide confiance en soi n'était pas de vaincre ses peurs, son insécurité ou sa timidité, mais de tisser avec elles une relation plus saine et réfléchie ? Russ Harris a aidé des milliers de gens partout dans le monde à maîtriser la peur et à acquérir la véritable confiance en soi, à l'aide des techniques de la thérapie ACT. Grâce à cet ouvrage pratique, empathique et inspirant, vous apprendrez à puiser en vous-même la force de surmonter vos peurs, d'identifier vos passions et de réaliser vos ambitions pour vous créer une vie plus épanouie.

ACT Made Simple : An Easy-to-Read Primer on Acceptance and Commitment Therapy, New Harbinger Publications, Oakland, CA, 2009.

Ce manuel d'exercices pratique et divertissant conçu pour les psychologues, les conseillers et les coachs sera tout aussi utile pour les spécialistes de la thérapie ACT que pour ceux qui souhaitent découvrir cette approche. *ACT Made Simple* offre des explications claires sur ce qui constitue la base de ce processus, ainsi que des conseils et des solutions pratiques pour l'implanter efficacement et rapidement dans votre pratique de la thérapie ou du coaching. Toute la formation dont vous pouvez avoir besoin pour utiliser les techniques de la thérapie ACT avec vos clients et obtenir des résultats appréciables se trouve dans ce livre. Plusieurs ressources gratuites accompagnent ce manuel et sont présentées à l'adresse www.thehappinesstrap.com.

Remerciements

D'abord et avant tout, je souhaite remercier ma femme Carmel pour tout l'amour, le soutien et les encouragements qu'elle a pu m'offrir. Je lui suis profondément et incroyablement reconnaissant pour ses nombreuses idées utiles, ses suggestions et ses efforts pour maintenir une vie familiale harmonieuse et dynamique durant les moments où j'étais tellement pris par l'écriture de mon livre.

J'envoie également des remerciements gros comme la Terre à Steven Hayes, le créateur de la thérapie ACT, qui a non seulement présenté ce modèle au monde entier, mais qui m'a aussi offert son aide et ses encouragements durant l'écriture de mes livres et au fil de ma carrière. Ma gratitude s'étend aussi à la communauté des spécialistes de la thérapie ACT de par le monde, qui m'a toujours soutenu et épaulé.

J'aimerais aussi exprimer mon immense gratitude à mon agente, Sammie Justesen, pour la qualité inégalée de son travail.

Enfin, je remercie Joe Ciarrochi et Ann Bailey de m'avoir permis d'utiliser le matériel de notre programme « Weight Escape » pour l'établissement d'objectifs, à l'annexe 4.

Table des matières

Suivez-nous sur le Web

Consultez nos sites Internet et inscrivez-vous à l'infolettre pour rester informé en tout temps de nos publications et de nos concours en ligne. Et croisez aussi vos auteurs préférés et notre équipe sur nos blogues !

EDITIONS-HOMME.COM
EDITIONS-JOUR.COM
EDITIONS-PETITHOMME.COM
EDITIONS-LAGRIFFE.COM

Achevé d'imprimer au Canada
sur papier Enviro 100 % recyclé